¡CHOCA ESOS CINCO!

KEN BLANCHARD
SHELDON BOWLES
Don Carew y Eunice Parisi-Carew

¡CHOCA ESOS CINCO!

La magia de trabajar en equipo

Traducción de David Vázquez

grijalbo mondadori

Título original:
HIGH FIVE!
Traducido de la edición original de
William Morrow, sello de HarperCollins Publishers, Ltd., Nueva York
Publicado por acuerdo con dicha editorial
© 2001, Blanchard Family Partnership y Ode to Joy Limited
© 2001 de la edición para todo el mundo:
  Grupo Editorial Random House Mondadori, S. L.
  Travessera de Gràcia, 47-49. 08021 Barcelona
  www.grijalbo.com
© 2001, David Vázquez, por la traducción
Primera edición: septiembre de 2001
Primera reimpresión: febrero de 2002
Reservados todos los derechos
ISBN: 84-253-3623-6
Depósito legal: B. 7.341 - 2002
Impreso en A & M Gràfic, S. L., Santa Perpètua de Mogoda (Barcelona)

Dedicado a
LARRY HUGHES
Editor, mentor, amigo

*El mejor compañero de equipo
que un autor puede desear*

PRESENTACIÓN

CUANDO KEN BLANCHARD ME PIDIÓ que escribiera una presentación de su libro *¡Choca esos cinco!* le dije que sería un honor. Tras leer el manuscrito, tengo que decir que es un honor muy especial. ¡Me encanta este libro!

¡Choca esos cinco! fue un gran estímulo intelectual, pues me recordó que cualquier individuo puede dar más de sí si forma parte de un buen equipo, sobre todo en estos tiempos cada vez más complejos y cambiantes.

Y más importante aún, la historia que cuenta me llegó al corazón, como espero que les ocurra a ustedes. Dicha historia nos enseña que el hecho de tener un propósito que vaya más allá de lo personal da un enorme sentido a nuestras vidas al darles una vivificante inspiración.

Ken no sólo conoce bien lo que significa trabajar en equipo, lo vive. Es uno de los mejores colegas con los que he tenido la satisfacción de trabajar.

Cuando escribimos *El ejecutivo al minuto** vimos que

---

* Publicado por Grijalbo Mondadori (última edición, 2001).

uno más uno suman mucho más que dos. Compartimos un propósito común: comunicar verdades elementales de forma comprensible, que ayudaran a la gente a tener unas vidas más útiles. Combinamos nuestras capacidades y disfrutamos con ello. Nos consta que el resultado final fue muy superior al que cualquiera de los dos hubiera podido obtener si hubiera trabajado solo.

Volvimos a aunar nuestros esfuerzos para escribir el libro *¿Quién se ha llevado mi queso?* Sin el estímulo y el acicate de Ken no sé si hubiéramos sido capaces de escribirlo.

Ahora aparece *¡Choca esos cinco!* En cuanto acabé de leerlo supe que iba a hablar de él largo y tendido con los miembros de los equipos de los que formo parte. Leer esta historia puede motivarnos a todos a esforzarnos para saber trabajar mejor en equipo y mejorar nuestros resultados.

Para sobrevivir y alcanzar el éxito en este siglo XXI es indispensable aprender a trabajar en equipo.

Como Ken y sus expertos colaboradores, Sheldon Bowles, coautor de *Raving Fans, Gung Ho!* y *Big Bucks!* y Don Carew y Eunice Parisi-Carew, veteranos socios de Ken y su esposa Margie en la consultoría especializada en la formación y desarrollo de equipos de trabajo, recalcan: «Ninguno de nosotros vale más que la suma de todos».

Espero que el lector encuentre lo que busca en este ameno y conmovedor libro y que cuando lo acabe levante su mano y choque su palma con los miembros de su gran equipo.

Spencer JOHNSON,
autor de *¿Quién se ha llevado mi queso?*
y coautor de *El ejecutivo al minuto.*

PRÓLOGO

–¡DESPEDIDO!
La palabra quedó marcada a fuego en su mente.

El director de su sección lo llamó reestructuración, adelgazamiento de niveles operativos, eliminación de tareas repetidas y añadió:

–No es nada personal, Alan. No te lo tomes como una crítica a tu trabajo.

Pero Alan Foster sabía que todo aquello era palabrería. Sabía que todas aquellas bonitas palabras sólo eran un rollo patatero. «Reestructuración» significaba «despido». A la calle. No lo querían.

Habría una generosa indemnización y se le asesoraría para encontrar un nuevo trabajo, pero Alan no estaba escuchando. Su mente rumiaba, intentando asimilar lo que estaba pasando.

Le acompañaron hasta su despacho y le dijeron que recogiera sus cosas. Veinte minutos más tarde estaba de pie ante su coche, llevando una caja de cartón con fotos de su familia, libros, plumas y dos latas de soda *light* que estaban en el fondo de su cajón.

–Adiós, señor Foster –le dijo el guarda jurado que le había acompañado hasta la puerta y ayudado a llevar el cuadro que él y Susan habían comprado hacía dos años.

El guarda jurado retrocedió unos pasos, vaciló y dijo:

–Lamento que se vaya. Siempre me ha tratado bien.

«Puñeta, es la verdad –pensó Alan cuando dejó la caja con sus cosas y el cuadro en el asiento de atrás del coche–. Siempre he tratado bien a todo el mundo.»

Como para confirmar sus palabras y a la vez burlarse de él, los ojos de Alan repararon en una placa que estaba en la caja, una placa que le habían regalado hacía cinco años: el premio al mejor empleado.

Eso dolía. Hacía muy bien su trabajo. Cuando se le marcaba un objetivo lo cumplía. Sus informes siempre estaban listos en el plazo fijado. Nunca se pasaba del presupuesto. Siempre respetaba la política de la empresa y sus procedimientos. Incluso invitó a comer personalmente, sí personalmente, a las siete secretarias de su sección el día de San Valentín.

Cerró de un portazo la puerta trasera del Ford. Aunque sabía que hay que mantener la cabeza fría cuando vienen los problemas, Alan se sorprendió al darse cuenta de que se estaba indignando. Había dado a la compañía diez años de su vida, y ahora lo echaban con la excusa de que con la nueva reestructuración ya no lo necesitaban.

Estaba a punto de meterse en el coche cuando vio al nuevo presidente de la compañía, George Burton, que aparcaba su Cadillac gris diez plazas más allá de la que hasta aquel día había sido la suya. Burton había llegado hacía seis meses. Se quedaba mientras que a él, después de diez años, le despedían.

Sin saber muy bien qué hacía, Alan fue hacia él cuando Burton salía de su coche.

—Me acaban de despedir —le comunicó Alan en un tono de voz que dejaba traslucir tanto su frustración como su ira.

—Lo sé —dijo Burton.

—Pero yo soy bueno en mi trabajo —dijo Alan cada vez más frustrado.

—Sí lo es —reconoció Burton.

—Entonces, ¿por qué me han despedido? —se quejó Alan—. No lo entiendo.

Burton miró a Alan como si fuera a endosarle el rollo de la reestructuración y el adelgazamiento de estructuras, pero tras unos instantes de duda puso su mano en el hombro de Alan, lo miró directamente a los ojos y, con una voz firme y amable, le dijo la verdad:

—No sabe trabajar en equipo. Necesito gente que trabaje bien, pero que sepa trabajar en equipo.

Alan iba a protestar cuando Burton añadió:

—Piénselo Alan. Usted es muy bueno por sí mismo, pero su equipo no funcionaba. Usted es un individualista, Alan. Usted es un equipo de un solo hombre y eso no funciona hoy en día. Necesito gente que sepa trabajar conjuntamente para alcanzar nuestros objetivos. Quizá una persona en concreto no marque tantos puntos, pero el equipo marcará muchos más. El hecho, Alan, es que usted le estaba costando dinero a la empresa.

Dicho lo cual Burton agregó:

–Buena suerte, Alan

Cogió su maletín del asiento y con lo que podría haber sido una sonrisa de disculpa se volvió y dejó a Alan allí plantado, solo y sin trabajo.

Alan caminó hasta su coche a pasos cortos y se fue a casa.

Susan era una santa.

–No te preocupes, cariño. Tú eres muy bueno. Pronto conseguirás otro trabajo. Incluso mejor.

Alan imaginó que podría encontrar otro trabajo sin problema. Pero ¿uno mejor? No estaba tan seguro. Burton tenía razón. No sabía trabajar en equipo. No es que quisiera ser un individualista y hacerlo todo solo como Burton le había dicho. Pero lo de hacer una asistencia para que otro marcara el gol no era lo suyo. Nunca lo había sido.

Desde que se había ido de casa de sus padres a los dieciséis años siempre lo había hecho todo solo. Había recibido su educación en las Fuerzas Aéreas y le habían enseñado a pilotar un avión. A la tripulación le encantaba volar con él. Otros pilotos echaban un somero vistazo a la nave antes de despegar. Alan lo inspeccionaba todo. Era una paradoja. La tripulación confiaba en él porque él no confiaba en nadie. Incluso comparaba los informes meteorológicos de la base con los de los servicios civiles.

Más tarde, como ejecutivo, Alan siguió yendo a lo suyo. Lo controlaba todo. Gracias a su inagotable ener-

gía, el trabajo duro y una mente aguda, siempre supe-
raba los objetivos marcados, aunque su equipo no lo
consiguiera. Su jefe le dijo más de una vez que tenía
que aprender a trabajar en equipo. Lo intentaba, pero
al poco tiempo volvía a las andadas.

Pero Alan notaba que el mundo estaba cambiando.
En todos los sectores se demandaban profesionales que
supieran integrarse en equipos. Los días de los lobos
solitarios como Alan, fueran brillantes o no, estaban
acabando.

1

LA ESCENA FUE LA SIGUIENTE: sonoros y constantes vítores; el chasquido de los palos de madera que intentaban desesperadamente subir el disco al campo contrario en la gélida atmósfera y que rebotara adecuadamente en los laterales de cemento de la pista; las gradas donde los familiares daban patadas en el suelo para combatir el frío.

Tras la portería del equipo de casa se arremolinaba la gente presa de la emoción cuando la aguja del reloj marcó el último segundo, sonó la sirena y el partido acabó. Los espectadores emprendieron rápidamente el camino del bar mientras los jugadores enfilaban el pasillo que los llevaba a los vestuarios.

Por su energía, vigor y entusiasmo, los chavales del equipo de hockey sobre hielo de la escuela primaria de Riverbend eran realmente formidables. Cada uno de los jugadores estaba destinado al estrellato en la liga nacional.

Al menos eso creían ellos. Si creer a pies juntillas en las propias habilidades y en que querer es poder fueran la llave del éxito, los Riverbend Warriors habrían sido los primeros de la tabla.

Por desgracia, habían perdido la mayoría de los partidos. Cuando ganaban solía deberse a que el equipo contrario jugaba aún peor. Y aquel sábado, los Riverbend Warriors habían vuelto a perder.

Cuando Alan Foster vio a su hijo David y a sus compañeros de equipo sufrir otra humillante derrota se sorprendió de lo poco que aquellos chicos parecían ser conscientes de sus puntos flacos. Se les veía orgullosos, pese a la derrota, mientras abandonaban la pista patinando. Que si un mal árbitro, que si la pista estaba en mal estado, que si tiempos muertos inoportunos e incluso las cuchillas de los patines, que estaban mal afiladas, eran los culpables. Nadie aceptaba la responsabilidad, ni individual ni colectiva, de la derrota.

—Otra gran noche del equipo de primaria—le dijo irónicamente Alan al entrenador, Milt Gorman, mientras David se cambiaba en los vestuarios subterráneos.

—Siempre he soñado con tener un gran equipo. Pero en vez de usar la cabeza para soñar la tenemos que utilizar para pensar en cómo hacer de ellos un equipo —replicó Milt con una carcajada.

—Es increíble la cantidad de tiempo que tú y tu ayudante Nanton le dedicáis a esto —dijo Alan.

—Me da la oportunidad de pasar más tiempo con mi hijo y, además, me gusta el hockey —dijo el entrenador Milt parándose delante del pasillo que llevaba al vestuario—. Algunos días me gustaría no tener un equipo en el que la mitad de los chicos tiene miedo de ir tras el disco y la otra mitad no lo suelta ni a tiros cuando le pone el palo encima.

La mención de que hubiera jugadores tan individualistas desconcertó a Alan, pero no tanto como las siguientes palabras de Milt:

—David le ha dicho a mi Billy que te han despedido del trabajo.

—Es cierto —respondió Alan con mayor brusquedad de la que le hubiera gustado.

—Lamento oírlo —dijo Milt recogiendo varios palos de hockey y cargándoselos al hombro—. Mala suerte.

—No —se oyó decir Alan de forma categórica—. No ha sido mala suerte. En los últimos cuatro o cinco años ha habido cambios en la compañía pero yo no he cambiado con ella. Por eso ahora ya no hay sitio para mí. No ha sido mala suerte, ni cosa del árbitro, ni del mal estado de la pista, ha sido culpa mía.

—Vaya —dijo Milt—. Si nuestros chavales tuvieran las tripas y el sentido común que tú has tenido para reconocer tu responsabilidad en lo que ha pasado, estarían jugando la promoción para la liga nacional.

—Si quieres que te diga la verdad, es la primera vez que lo reconozco —dijo Alan—. Creo que escuchar a los chavales yendo a los vestuarios echándole la culpa a todos esos factores equivocados ha hecho que me dé cuenta.

El reconocimiento de Alan de su responsabilidad en lo ocurrido concordaba con su filosofía individualista. Él creía que sólo contaba él, así que no le podía echar la culpa a nadie más. Y esto también hacía que no se enfrentara con el problema real. Había aceptado la responsabilidad: ¿Qué más podía hacer? Asunto concluido. No había necesidad de analizar más.

Ni que decir tiene que Milt no sabía nada de esto. Estaba pensando en algo totalmente distinto.

—Bueno, esto es lo que hay —exclamó Milt—. Espero no haberte puesto en una situación violenta.

—No te preocupes —contestó Alan.

—Eres muy amable. Pero a lo que iba con todo esto es que a mi ayudante y a mí nos vendría muy bien que nos ayudaran con esos chicos. Sé por David que trabajabas muchas tardes y fines de semana, pero ahora espero que tengas tiempo para echarnos una mano.

—¿Me estás diciendo que les enseñe a jugar al hockey? No he patinado en una pista desde hace años. Ni siquiera creo que recuerde las reglas —contestó Alan.

—Yo conozco las reglas Mi ayudante patina a las mil maravillas. Además, como entrenadores tenemos un trabajo, y es que esos chavales jueguen como un equipo, enseñarles que, trabajando como un grupo bien articulado, conseguirán más que si cada uno se entrega al cien por cien. Una vez que los chavales aprendan lo bueno que es jugar en equipo, les habremos enseñado algo mejor que todas las estrategias y entrenamientos juntos.

La pista, que hacía unos minutos resonaba con los golpes de los palos y los vítores, estaba ahora desierta, a excepción de Alan y Milt.

—Vale —dijo Alan, tras respirar hondo—. Segunda confesión del día: ¿sabes por qué me han echado del trabajo? Porque no sé trabajar en equipo. Me han echado pese a ser uno de los mejores empleados porque no sé trabajar con los demás. No sé si soy la persona más indicada para enseñar a trabajar en equipo.

Milt ladeó la cabeza como si quisiera considerar mejor lo que había dicho Alan y, tras acomodarse los palos en el hombro, dijo:

—Tu empresa puede que no te quisiera, pero yo sí. Creo que eres el candidato ideal. No tienes que cantar como Pavarotti para enseñar a cantar.

En realidad a Milt no le interesaba la perfección, ni siquiera que su equipo jugara como la media. Lo que necesitaba era que otro padre compartiera con él la carga.

Como percibió que Alan estaba un poco intrigado, Milt añadió:

—Mi mujer y yo vendemos agua mineral en nuestra tienda para ganarnos la vida. Mi ayudante, Gus Nanton, es un diseñador gráfico, trabaja por su cuenta, en el estudio que tiene en el sótano de su casa. No tenemos ni idea de trabajar en equipo. Al menos tú sabes algo. —Y agregó con una sonrisa—: ¡Serás nuestro experto!

Y entonces Milt Gorman dijo las palabras que Alan necesitaba oír más que nada en el mundo. Con toda la intención, lenta y sinceramente, dijo:

—Te quiero en el equipo, Alan.

—Me gusta oír eso —comentó Alan en tono bajo para que la voz no se le quebrara por la emoción y la gratitud. Alguien lo quería en su equipo.

—Los entrenamientos son los martes y los jueves, a las siete de la tarde, ¿vale?

—Cuenta conmigo —contestó Alan.

—Genial. Y gracias. Ya tengo ganas de trabajar contigo —dijo Milt y desapareció en el túnel de los vestuarios.

La explicación que Alan le dio a su mujer fue muy sencilla.

—¿No conoces ese dicho de que la gente enseña lo que más necesita aprender? Pues bueno, voy a enseñar a trabajar en equipo a los Riverbend Warriors.

Sin embargo el objetivo de Alan era enseñar, no aprender. El trabajo en equipo estaba bien para deportes como el hockey o el baloncesto, pero en el mudo de Alan, el mundo que él creía que era el mundo real, si quieres que se haga algo tienes que hacerlo tú. Cuando Alan estaba en la línea de salida sólo confiaba en sí mismo para ganar aquella carrera. El hecho de que ser un lobo solitario le hubiera costado su puesto de trabajo era sólo una ironía.

En casa de Milt aquella noche su mujer Anna apagó la lámpara de su mesilla, se acurrucó contra su marido y dijo:

—Así que le han despedido porque no tiene ni idea de trabajar en grupo y tú lo has cogido para que enseñe a los chavales a jugar en equipo, ¿eh?

—Eso es —admitió Milt.

—Si alguna vez me olvido de por qué estoy enamorada de ti, recuérdame esto. Eres maravilloso —fue la respuesta de Anna.

2

ALAN FOSTER EMPEZÓ SU CARRERA como entrenador en la sección de libros de deportes de la biblioteca pública, en concreto en los estantes donde se leían las etiquetas «Cómo formar un equipo» y «El juego en equipo».

Sin embargo, su auténtica educación comenzó los martes y los jueves por la noche, cuando los Riverbend Warriors entrenaban, y las tardes de los sábados, cuando diecisiete estrellas del hockey sobre hielo que estudiaban primaria salían a la pista convenientemente entrenados y en un mes perdieron tres partidos de cuatro.

Durante los entrenamientos intentaron inculcar a los chavales tres cosas. Lo primero era la técnica. Les enseñaban a deslizarse de un extremo a otro de la pista a toda velocidad. Cuando el entrenador Nanton hacía sonar su silbato era la señal para que frenaran en seco, dieran media vuelta y volvieran a impulsarse con la máxima rapidez en dirección contraria hasta que el silbato volvía a sonar. Al menos ésa era la teoría. Los que peor patinaban solían entender que frenar en seco era deslizarse hasta que se detenían. Los que mejor patinaban solían describir un lento giro para detenerse. Sólo uno o dos intentaban frenar clavando la punta de la cuchilla de sus patines, y a menudo se la pegaban. También practicaban los pases, el manejo del disco y los tiros rápidos a la portería. De nuevo ésa era la teoría. La realidad era diferente. Excepto un jugador, que tenía un don natural y una notable coordinación, la técnica brillaba por su ausencia.

Lo segundo era la deportividad, las normas del juego y las tradiciones. Una tradición que no costó mucho enseñarles fue que debían ponerse en línea en el centro de la pista e ir hacia el equipo contrario para estrecharles la mano.

—Los directivos de la liga tienen la culpa de que haya tantas peleas; han suprimido este saludo en vez de reprimir a los violentos y a los entrenadores que permiten que haya enfrentamientos —le dijo Milt a Alan con evidente disgusto durante el primer entrenamiento con los chavales—. Son gente sin carácter ni personalidad ni empuje que se pasan más tiempo en reuniones que en la pista con los chicos. Están arruinando este juego. Están enseñando a toda una generación que buscar camorra es parte del juego.

El tercer aspecto que enseñaban, donde Milt dijo que tenían la gran oportunidad de combatir el mal ejemplo y los mensajes implícitos de los directivos de la liga, era el juego de equipo: aprender a establecer una defensa o lanzar un ataque de forma que todo el equipo, o una parte del mismo, actuara de forma compenetrada para cumplir un objetivo, que tanto podía ser aprender a mover el disco por la zona central como pasárselo a un alero para que atacara.

También fallaban en el área de gol. El martes machacaron lo de jugar en equipo. Y también el jueves. Pero el día del partido fue un desastre. Desde el pitido de inicio hasta que sonó la sirena que indicaba el final del partido los dos defensas y los tres aleros no hicieron más que pasearse de un extremo a otro de la pista, a veces persiguiendo el disco, a veces apartándose de su trayectoria y otras saludando a sus padres, que estaban en las gradas.

—Kevin, pásala y baja a defender —gritaba Milt.

—Avanza, Larry, avanza —gritaban todos los padres, a sabiendas de que Larry nunca había conseguido avanzar más de cuatro metros sin perder el disco.

El único padre que no animaba a Larry a avanzar era el suyo. «Tira, Larry, tira», le gritaba. No importaba cuál fuera su posición. «Tira, Larry, tira», era lo único que repetía como si fuera su mantra. Y Alan descubrió que a aquello la madre del chico lo llamaba «disparos a puerta», pero el marcador seguía igual. Y mientras los padres esperaban en el bar provisto de calefacción a que sus hijos salieran de los vestuarios, el análisis que hacían del partido estaba salpicado de frases como: «¿Has visto a Larry esta noche? Siete disparos a puerta, siete».

Alan estaba indignado.

—Los padres son peores que los chicos. Están echando a perder todo el trabajo que hemos estado haciendo —se quejaba a Milt.

25

—Peor, los padres son los que eligen a los directivos de la liga —dijo Milt con una carcajada—. Pero mira, Alan, son buenos padres y el hecho es que la mayoría de esos chicos serán unos tíos estupendos sin importar lo que hagamos nosotros o sus padres. Sólo espero que les quede algo de lo que les estamos enseñando.

Un jugador que había asimilado bien dos de las enseñanzas de Alan y Milt era Timothy Albert Burrows. Tim conocía las reglas y las tradiciones. Incluso sabía que tenía que jugar en determinada posición, que tenía una misión en concreto. Mientras sus compañeros pululaban por la pista sin orden ni concierto, Tim defendía, apoyaba, cubría su zona, siempre dispuesto a detener un contraataque del contrario o interceptar el disco y pasarlo a un alero.

El problema era que a la hora de la técnica Tim era un desastre, el peor patinador de todo el equipo y el menos capaz de parar el disco con su *stick* si aquél acertaba a pasar por su lado. Y lo de detener eficazmente un contraataque, era mejor olvidarlo. Tim se esforzaba como un valiente, pero para cuando estaba en situación de hacer frente al atacante, éste ya lo había dejado atrás. Si por azar Tim estaba en medio de la línea de avance, a los atacantes no les costaba mucho esquivarlo.

Y esto no le importaba a Tim. Veía la vida como una dicha sin fin. Irradiaba felicidad.

—Has estado genial, les has engañado, les has engañado —decía Tim entusiasmado—. ¿Recuerdas cómo se la has colado al número diecisiete detrás de la red? ¡Ni siquiera vio el disco!

Tim recordaba con precisión cada jugada de sus compañeros y se alegraba sinceramente de cada éxito. Y también tenía el sentido común de no mencionar los numerosos errores de ellos, una madurez que no tenían sus compañeros, quienes, cuando acababan de criticar al árbitro, el estado de la pista y la mala suerte empezaban a repasar las pifias de los demás, sobre todo las de Jerry, el portero. Si habían perdido por 9 a 2 era evidente que habrían ganado si Jerry hubiera parado ocho de los tiros que habían acabado en gol.

–Ni hablar –replicaba Tim–. Sólo tenemos que meter ocho goles más. Jerry, esta noche has estado genial.

Pocos chavales de diez años se atreverían a llevarles la contraria a sus compañeros de equipo. Tim era un chaval formidable, y sabía que no todo es fácil en esta vida.

–¿Quién es ese Tim? –preguntó Alan a Milt tras el segundo partido en que hizo de entrenador.

–No lo tengo muy claro –respondió Milt–. Sólo sé que me gustaría que los demás fueran como él, y que él patinara como los demás.

–Su palo no parece muy bueno. Quizá sea eso parte del problema

–A lo mejor. Dudo que las cuchillas de sus patines estén bien afiladas. No tienen mucho dinero en casa. Sé que no tiene madre. Creo que murió hace tres años. Billy me contó que el padre de Tim trabaja en un restaurante. Rara vez viene a los partidos. Pero es un tío majo. Me parece que Tim ha sacado el carácter de él.

De dondequiera que Tim hubiera sacado ese carácter lo cierto es que era especial. Los entrenadores de los equipos contrarios, al observar cómo jugaba Tim, nunca entendían por qué llevaba la «C» en su camiseta, la marca de que había sido elegido capitán por sus compañeros.

En el vestuario Tim remoloneaba como siempre hacía mientras sus compañeros se apresuraban a cambiarse. Tim quería quedarse el último para no tener que dar ninguna excusa si rechazaba ir a dar una vuelta o, peor aún, una invitación a cenar en casa de alguien. Era de noche y quería caminar solo. Desde que su madre había muerto, la noche era algo especial para Tim.

Unos días antes de que muriese, tumbada en el sofá del salón de su casa, la madre de Tim hizo todo lo que pudo para prepararlo.

–Todos estamos hechos de dos partes, Tim, nuestra alma y nuestro cuerpo. Mi cuerpo no funciona muy bien, y cuando se pare, mi alma tendrá que buscarse un nuevo hogar.

–¿Qué es un alma? –preguntó Tim.

–Es lo que somos realmente. Crece con el amor. Tengo todo el amor de papá, el tuyo y el de la abuela. El amor de Dios hace que mi alma esté viva. Es como cuando encendemos una cerilla para prender el carbón de la barbacoa –dijo su madre alzando las manos y obsequiando a Tim con la mejor de sus sonrisas–. Y no importa lo que le pase a mi cuerpo. Siempre tendré tu amor, y el de Dios, así que siempre tendré un alma.

–Y también el amor de papá y de la abuela –añadió Tim muy serio.

–Sí, también el de papá y el de la abuela –contestó su madre con una voz muy dulce, tratando de controlar sus emociones, pues era consciente de que mostrarle a su hijo una serena y valiente aceptación de lo que iba a ocurrir era el mejor regalo que podía hacerle.

Sus siguientes palabras eran la razón de que ahora Tim mirara en el bar para asegurarse de que todo el mundo se había ido antes de salir por la puerta camino de la noche, con el *stick* al hombro y los patines balanceándose en su espalda.

–Cuando mi alma esté con Dios, no tendré un cuerpo que me permita hablar contigo, pero siempre estaré a tu lado cuando me necesites.

Tim la miró desconcertado.

–Ahora sólo puedo estar donde está mi cuerpo. Cuando esté con Dios, si quieres hablar conmigo, podrás hablarme siempre, y yo te escucharé. No podré hablar contigo, pero te prometo que si alguna vez quiero decirte algo encontraré la forma. ¿Y sabes lo mejor Timmy?

–No –contestó Tim.

Tenía siete años. Era lo suficientemente mayor para saber que aquella conversación no presagiaba nada bueno, y mucho menos que hubiera algo que pudiera ser «lo mejor».

–No tendrás que volverte a preocupar por la oscuridad –le dijo su madre. A Tim le daba miedo quedarse solo a oscuras–. Siempre estaré contigo por las noches. Podrás hablar conmigo siempre que quieras, Tim, y yo te escucharé, incluso aunque no hables en voz alta. Te prometo que siempre estaré a tu lado, sobre todo por las noches. ¿Vale?

–Vale, mamá.

Seis días después murió su madre, todavía en el sofá, rodeada por Tim, su padre y una enfermera.

La noche de su funeral Tim salió por la puerta de atrás de la casa dejando en ella a todos los amigos y vecinos. Haciendo acopio de valor, salió a la noche, caminó hasta el borde del jardín y se quedó de pie en el césped crecido.

–Mamá –susurró–, ¿mamá?

Nada. Silencio. Oscuridad.

Tim miró al cielo y volvió a llamar a su madre. Esta vez en voz alta y con cierta urgencia:

–Mamá, ¿estás ahí?

La pregunta del niño se perdió en el cielo de la noche. Un brillante resplandor se vio en la constelación de Leo y cruzó el firmamento para apagarse en el extremo más lejano de Orión.

Algunos dirán que fue la mano de Dios, otros que simplemente fueron los pedazos de un meteorito que ponía fin a mil millones de años de azaroso periplo intergaláctico. Para un niño de siete años solo, con miedo y con el corazón roto solamente había una respuesta. Su madre le había saludado. Su madre estaba con él. En ese instante su corazón empezó a rehacerse, su miedo desapareció y la noche se convirtió en su amiga.

Tim no se lo dijo a nadie, ni lo de esa noche ni lo de sus posteriores conversaciones con su madre. Pocas veces oía su voz, pero si era importante, ella le enviaba un mensaje. ¿Y cómo? Bueno, eso no era importante para Tim.

Cuando su padre, que trabajaba por las noches, le dijo que podía ocupar tres tardes a la semana jugando al hockey sobre hielo, Tim no estaba muy seguro de que le apeteciera. Esa noche, cuando Tim salió a dar un paseo para hablar con su madre, empezó a nevar. Fueron las primeras nieves del invierno. Al volver a casa la nieve reflejaba cada punto de luz dando a la atmósfera de la noche un tenue brillo. Y Tim supo que su madre le había enviado un mensaje: «Juega al hockey».

Aquella táctica dilatoria en el vestuario le permitía volver solo a casa, y mientras paseaba hablaba con su madre y la ponía al día de sus cosas. Una de las razones por las que Tim tenía una visión positiva de la vida y sabía ver lo mejor de los demás era porque le contaba las malas noticias a su madre e incluso sus menores frustraciones.

Tim sabía que no tenía que hablar en voz alta para que su madre le oyera, pero a veces, presa de la agitación, enfadado o desconcertado, se descubría quejándose a la noche. Un desconocido que hubiera pasado esa noche por su lado hubiera oído a un muchacho hablando solo. Pero no era así. Tim le estaba contando a su madre su frustración porque sus compañeros de equipo no habían sabido mantener sus posiciones. La lógica de jugar desde unas posiciones, pasar el disco y trabajar de forma conjunta para marcar goles era clara para él. Tim no lograba comprender por qué los otros no lo veían igual.

Los Riverbend Warriors no habían sabido trabajar en equipo, pero dos noches después, un sábado, el trabajo de equipo le salvó la vida a Tim.

3

TARDARON UN MINUTO EN DARSE cuenta de que Tim se había hecho daño.

Acababa de meter su primer gol. Sus compañeros de equipo brincaban con sus patines y alzaban brazos y *sticks* para festejarlo. Los entrenadores los vitoreaban con entusiasmo y alegría. Todos vieron cómo caía Tim. Era normal que los chavales se cayeran durante el partido. A menudo se quedaban unos segundos tumbados en la pista, quizá preguntándose cómo había sucedido o contemplando la escena a la altura del hielo. Siempre acababan levantándose. Pero Tim no.

Como de costumbre, el alero situado a la derecha de Tim abandonó su posición y persiguió al grupo de jugadores que iban tras el disco. El entrenador Gorman le hizo señas a Tim para que se adelantara y ocupara su puesto.

Segundos más tarde el disco salió disparado de la piña de jugadores en dirección a Tim, y fue reduciendo su velocidad de tal forma que éste pudo hacerse con él valiéndose del *stick*.

Tim empezó a avanzar llevando el disco. Tras él varios contrarios intentaban darle caza. Tim estaba cerca de la línea de tiro y solo, no tenía que driblar a nadie.

De repente Tim se dio cuenta de que estaba protagonizando una escapada. Tenía que tirar a puerta. El disco salió disparado.

No fue un tiro perfecto, pero tampoco lo era el portero. El disco fue directo hacia la portería, cosa poco habitual entre los jugadores de su edad, y pasó entre las piernas del portero en el preciso momento en que los del equipo contrario daban alcance a Tim.

Tim se había detenido para hacer su lanzamiento. Sus perseguidores, tanto los del equipo contrario como los de su equipo, no frenaron ni se apartaron.

El impacto lanzó a Tim contra el hielo, donde cayó de bruces. Su casco golpeó contra la valla de madera que delimitaba la pista y ésta le frenó. No fue un golpe muy fuerte. Debería haberse podido levantar. Pero no lo hizo.

Todo el mundo, jugadores, entrenadores y padres, se dio cuenta de que algo malo había sucedido.

Los vítores enmudecieron y, en medio del silencio, sólo roto por el silbido de las cuchillas de los patines que se deslizaban por la pista de hielo, los entrenadores de ambos equipos saltaron de sus bancos para ir corriendo a donde Tim yacía inmóvil cuan largo era.

—Ve con él —le dijo Milt a Alan diecisiete minutos más tarde, cuando los enfermeros introducían al inconsciente Tim en una ambulancia, sujeto a una camilla especial mediante correas.

En la ambulancia conectaron a Tim a varios monitores.

El enfermero habló por un micrófono invisible:

—Llevamos a un chico de diez años, lesionado en un partido de hockey, inconsciente, se ha golpeado la cabeza contra la valla de protección. Envío constantes vitales.

La ambulancia iba a toda velocidad haciendo sonar la sirena para llamar la atención de los otros conductores.

—¿Está bien? —preguntó Alan muy preocupado.

—¿Es usted el padre?

—No, su entrenador.

—Está estabilizado. Sólo puedo decirle eso. Estamos transmitiendo sus constantes vitales a un médico que está en la unidad de urgencias para...

—Unidad once, tenemos las constantes vitales en pantalla —le interrumpió una voz de mujer por un altavoz situado en el techo de la ambulancia—. ¿Tiene la cabeza inmovilizada?

—Sí, doctora —respondió el enfermero.

Alan advirtió que el hombre estaba observando lo que parecía un cojín hinchable cuyos extremos sostenían la cabeza de Tim.

—Veinte miligramos de codeína. Voy a monitorizarlo. Dime cuando desconectas tu monitor. La unidad de urgencias se está preparando para recibiros.

—Veinte miligramos de codeína —dijo el enfermero, para confirmar la orden de la doctora cuando inyectó el medicamento en el brazo de Tim.

–Esto lo mantendrá sedado y evitará que recupere la conciencia de repente. No conviene que se mueva hasta que los de urgencias puedan examinarlo–explicó el enfermero a Alan.

La ambulancia frenó bajo una marquesina iluminada por brillantes luces amarillas. Las puertas de atrás se abrieron de golpe. Unas manos soltaron la camilla de Tim y se lo llevaron a toda prisa.

Cuando Alan consiguió bajar, Tim y sus porteadores habían desaparecido a través de unas puertas de vaivén. Alan corrió tras ellos, que se introdujeron en una habitación y pasaron al accidentado de la camilla de mano a una camilla de hospital.

Sin saber muy bien qué hacer, Alan entró y la puerta se cerró tras él. Se quedó en silencio, apoyado contra la pared. No es que en aquella habitación tan iluminada estuviera precisamente oculto, pero el enjambre de doctores, técnicos sanitarios y enfermeras vestidos de verde no reparó en él mientras examinaban a Tim a toda prisa.

Alan reconoció a la doctora por la voz. Por la radio de la ambulancia tenía un marcado acento irlandés. Era lo único que la distinguía. Todo el personal de la unidad de urgencias estaba vestido con las mismas holgadas prendas verdes de quirófano. Unos gorros les cubrían el pelo, llevaban mascarillas sujetas al cuello y la mayoría llevaban una especie de buscas sujetos a los bolsillos. Cuando era necesario se dirigían los unos a los otros por el nombre, no por su categoría, y era imposible decir quién era el máximo responsable. Todos parecían saber exactamente qué tenían que hacer e informaban a los otros de lo que estaba ocurriendo. Se tomaban decisiones, pero parecía que el grupo, más que tal o cual individuo, era quien las tomaba. A Alan le costaba entender aquella forma de trabajar. Era como si trabajaran al unísono de forma instintiva.

Una especie de pantalla de rayos X se colocó sobre Tim. La doctora y otras dos personas consultaron un monitor y pidieron que ésta hiciera varias tomas. Por lo que Alan comprendió Tim, pese a que estaba inconsciente, no tenía ninguna fractura en el cráneo ni se había roto el cuello ni la columna.

—Vale, vamos a hacerle una resonancia magnética ahora mismo.

Cuando el grupo se apartó de Tim vieron a Alan y educada pero firmemente le acompañaron a la sala de espera. Tim desapareció tras otra puerta.

Veinte minutos más tarde llegó el padre de Tim, acompañado por Milt Gorman. Justo cuando la mujer que Alan había identificado como la doctora entró en la sala de espera.

—¿El señor Burrows? –preguntó.

—¿Está bien? Soy su padre.

—Su hijo ha sufrido un accidente grave pero tenemos muchas esperanzas de que se recupere satisfactoriamente. Pero por ahora está inconsciente. Tiene un hematoma subdural que le presiona el cerebro. Tenemos que aliviar la presión que ejerce. He llamado a la doctora Nancy Cantor. Es una excelente neurocirujana.

—¿Habrá que operarle? —preguntó el padre de Tim, con la voz temblorosa por la emoción pese a que intentaba asimilar con entereza las noticias.

—La doctora Cantor es muy buena. Estoy convencida de que Tim se pondrá bien. Es joven y fuerte, pero tenemos que rebajar la presión del hematoma. Tendrá que firmar unos papeles.

—Sí, claro —respondió el padre de Tim, y siguió a la doctora al control de ingresos.

Alan y Milt se sentaron a esperar. Tres horas más tarde todavía esperaban, junto al padre de Tim a que les dijeran algo de cómo había ido la operación.

La sonrisa en el rostro de la doctora Cantor cuando entró en la sala de espera decía todo lo que había que decir. Tim estaba vivo y había reaccionado bien.

—Su hijo está bien —dijo la doctora Cantor—. Ahora lo van a llevar a la sala de cuidados intensivos. Pronto podrá verle.

La operación había ido como una seda. El problema era exactamente el diagnosticado. Sólo quedaba saber cuándo recuperaría Tim la conciencia. Pronto se pasarían los efectos de la anestesia, pero quizá no volvería en sí de inmediato. Podría llevar un tiempo.

—¿Horas? ¿Días? —preguntó su padre.

—No lo sabemos con exactitud —respondió la neurocirujana.

Aunque no lo dijo, la posibilidad de que Tim no recuperara la conciencia era evidente. Como si les leyera el pensamiento, la doctora Cantor dijo:

—Tim tardará un tiempo en recuperarse. Yo no estoy preocupada. Si estuviera en su lugar, tampoco lo estaría.

—Gracias, doctora —dijo el padre de Tim—. Gracias, creo que usted le ha salvado la vida a mi hijo.

—En realidad yo he hecho muy poco —dijo la doctora—. Tanto el personal de urgencias como los chicos de la ambulancia han prestado a su hijo todos los cuidados que necesitaba. El equipo que ha hecho el diagnóstico me ha dicho exactamente lo que tenía que hacer y qué podía encontrarme. Tengo un equipo de diez personas en el quirófano y cada uno de ellos cumple un papel fundamental. Ahora mismo el personal de cuidados intensivos está cuidando a Tim. Les agradezco que me den las gracias, pero sepan que sólo soy un miembro más del equipo. Todos dependemos de los demás.

Y a continuación la doctora sugirió al padre de Tim que fuera a verlo. Podía pasar la noche en una cama de la zona para familiares habilitada en la unidad de cuidados intensivos. Milt se ofreció a llevar a Alan a casa.

—¿Has oído a la doctora? —dijo Alan cuando entraron en el coche. Lo decía para Milt tanto como para sí mismo—. Es una convencida de la labor de equipo y una neurocirujana de primera. Realmente las cosas han cambiado. Una vez tuve una novia cuyo padre era cirujano. Se creía Dios. No tenía colaboradores. Tenía esclavos.

—Las cosas han cambiado. Hoy en día tienes que dirigir un equipo para triunfar —dijo Milt cuando se metió en la calle de Alan—. La doctora que ha atendido a

Tim es un ejemplo de lo que debe ser un buen jefe de equipo. Su objetivo no es ser la jefa y que todo el mundo sepa que la que manda es ella. Su objetivo es hacer todo lo necesario para que el equipo funcione a la perfección. Si hace falta puede tomar el mando, pero si los otros saben más del asunto o hacen esto o aquello mejor no le importa hacerse a un lado y dejar que ellos se encarguen. Le gusta más que el equipo funcione que ser la jefa.

—¿Y tú has aprendido eso vendiendo agua mineral? —preguntó Alan.

—Cuando no hay trabajo, tengo mucho tiempo para leer —respondió Milt riéndose—. Siempre me han gustado los libros sobre gestión empresarial.

Alan se quedó un momento en el asiento después de que Milt frenara delante de su casa.

—Ser el jefe no es lo principal; es eso, ¿no? —dijo Alan con aire reflexivo—. Lo que esa doctora nos ha dicho esta noche es que lo importante es ser un miembro útil para el equipo. Cada componente de su equipo, incluso ella, tiene que centrarse en el éxito del equipo, no en el suyo propio. Todos están al servicio del equipo. No hay sitio para ninguna *prima donna*. La lealtad de todos tiene que ser para el equipo. Ésa es su razón de ser.

—Eso es —dijo Milt—. Y eso no es todo, el grupo no tendrá éxito si cada miembro del equipo se limita a ayudar a los demás y trabajar en equipo. Tienen que estar al servicio del paciente. Hacen piña para cumplir un propósito primordial: salvar vidas.

—Bien visto —comentó Alan.

—Por desgracia —dijo Milt—, las personas muchas veces están tan obsesionadas en qué hay que hacer para ser un buen jefe que se olvidan de cuál es su primera responsabilidad. Puedes verlo en el hockey todos los días, no en la liga infantil, desde luego, pero sí en la mayoría de los equipos de las ligas mayores. Bonitas jugadas. Muchos pases. Cada cual en su zona. Pero no rematan, no marcan. Como acabo de decir, las organizaciones se preocupan tanto de descubrir cuáles son los mejores procesos para hacer las cosas que se olvidan de lo que realmente se espera que hagan. Lo fundamental al hacer bien las cosas es que finalmente se hagan.

Alan estaba tumbado en su cama esa noche pensando en Tim, en la escena que había presenciado en la sala de urgencias y en las palabras de la doctora. A Tim lo había salvado un equipo. La doctora había dicho que la resonancia magnética le había indicado lo que había ocurrido y lo que tenía que hacer. «Yo me he encargado de la parte quirúrgica, pero la resonancia magnética ha sido el artista y yo no tengo ni idea de cómo va esa máquina», le dijo la doctora al padre de Tim.

Cuando Alan finalmente se durmió había captado lo que la doctora les había dicho: el personal médico, actuando como un equipo, no tal o cual individuo, había salvado a Tim. No hubieran podido hacerlo si hubieran trabajado individualmente. La interdependencia y compenetración, la suma de conocimientos y habilidades marcaba la diferencia. Además, Alan creía que la doctora tenía razón en otra cosa: ninguna habilidad o conocimiento era más importante que otro. En definitiva, una destreza individual alcanza todo su potencial cuando se combina con otras.

Eso estaba bien para la medicina, pero en el mundo de los negocios era diferente, se dijo Alan. Sin embargo, por primera vez en su vida no estaba tan seguro de que eso fuera verdad. Se había abierto un resquicio. Se había aferrado a la idea de que el mundo de los negocios era diferente, pero también creyó en una época que volar en las Fuerzas Aéreas lo era. Sin embargo, si aceptaba la lógica de la doctora y la aplicaba a sus días de piloto, su brillante carrera no sólo se debía a sus habilidades en la cabina o a que primero se leyera los informes meteorológicos.

En última instancia se debía a que formaba parte de un equipo: los mecánicos que se ocupaban del mantenimiento de los motores, las personas que habían diseñado el avión, los trabajadores que habían acoplado el fuselaje, la torre de control, su navegante, y la lista seguía y seguía. Dependía de esas personas cuyos conocimientos eran fundamentales para que él sacara el máximo partido de su habilidad. Había sabido ver que esas personas eran importantes, pero siempre las había visto como un apoyo y nunca como miembros de un equipo cuya contribución e importancia era igual a la suya. Alan empezó a darse cuenta de que estaba equivocado en lo que a su carrera de piloto se refería. Y si se había equivocado en eso, ¿quién podía asegurarle que no se había equivocado también en el mundo de los negocios?

Alan tuvo el sueño agitado esa noche. Su mujer creyó que las vueltas y revueltas que dio en la cama se debían a la impresión que le había causado el accidente de Tim y la operación. Y así era, pero no por la razón que ella imaginaba.

4

TIM RECUPERÓ LA CONCIENCIA el domingo por la tarde y los doctores, que a última hora del sábado y durante la mañana del domingo habían mostrado tanta calma y seguridad, ahora parecían tan aliviados que Alan sospechó que Tim había pasado por una situación más peligrosa de la que habían admitido, incluso ante ellos mismos.

Los chavales del equipo estaban exultantes cuando se enteraron de la buena noticia en el entrenamiento del martes. Al ver cómo se llevaban el cuerpo inerte de Tim de la pista no creían que se tratara de una simple lesión. Estaban muy preocupados. Creían que era algo grave. Que Tim se había muerto. Lo que los adultos consideraban una recuperación al borde del límite, para los chavales era una suerte de radiante resurrección.

—Mira toda esa energía —le dijo Milt a Alan mientras observaban cómo Gus Nanton les enseñaba a patinar mejor—. Sólo Dios sabe qué derrota sufriremos el sábado cuando esos fieros individualistas sobrados de bríos vayan cada uno a la suya. Otra paliza probablemente –concluyó con tristeza.

–Yo no estoy tan seguro –replicó Alan–. Quizá podamos canalizar en un objetivo esa energía y derrotar a alguien nosotros.

Y no dijo nada más mientras veía cómo los chavales patinaban alegremente bajo la supervisión de Gus Nanton.

Una vez que acabó la sesión de patinaje, los chavales descansaron mientras Milt les daba un repaso de las normas y las tradiciones. Entonces Alan sacó a colación el tema del trabajo en equipo.

–El otro día Tim recibió un golpe. Son cosas que pasan. La buena noticia es que pronto le van a dar de alta del hospital. La mala es que probablemente no podrá volver a jugar a hockey este año.

Fue como echarles un jarro de agua fría. Los chavales habían confiado en que Tim volviera pronto al equipo.

–Creo que estamos en deuda con Tim –dijo Alan remarcando cada palabra.

Aunque estaba leyendo libros sobre cómo crear y dirigir equipos, por su propia experiencia y por intuición, Alan comprendió que la lesión de Tim también había hecho pedazos el ordenado mundo de cada uno de aquellos chicos. Había pasado algo que nunca debía pasar, y todos los Warriors habían tenido que ver en ello. Tenían que hacer algo, algo por Tim. Algo que fuera una reparación de lo que había ocurrido.

–¿Alguien tiene alguna idea?

Silencio.

Alan volvió a quedarse callado durante un minuto. Los chavales movieron nerviosamente los pies y miraron aquí y allá, evitando las miradas de sus compañeros y de los entrenadores. No sabían qué responder.

–A mí se me ha ocurrido que podríamos ganar la liga para Tim – dijo Alan tranquilamente.

¡La liga! ¡Ganar la copa! Ningún equipo de Riverbend la había ganado nunca. Ni siquiera se habían acercado. La liga se dirimía en los últimos diez partidos de la temporada, y a continuación se jugaba una liguilla eliminatoria entre los cuatro mejores equipos. Las derrotas del principio no actuarían en su contra. Tenían una posibilidad si conseguían jugar todos a una.

Era, como Milt Gorman le describió luego a su mujer, «un reto de proporciones épicas». El balanceo de los pies cesó, las cabezas se irguieron. Ganar la liga sería un homenaje ideal. Los chavales habían visto incontables horas de televisión y películas para saber que eso era exactamente lo que hacían los equipos deportivos cuando se lesionaba la estrella. Los soldados tomaban la colina en honor de su sargento caído. Los vaqueros se enfrentaban a una cruda ventisca para rescatar al perro del niño del rancho que se había roto una pierna. Y cuando un agente de policía era asesinado, el FBI y la policía local y del estado se aliaban para encontrar al criminal. Serían soldados, vaqueros, policías, héroes. ¡Ganarían la liga!

Habían recuperado la energía y ahora tenían más que nunca. Los únicos en la pista que tenían dudas eran Gorman y Nanton, los entrenadores. Sabiendo cómo era el equipo, eran conscientes de que tenían las mismas probabilidades de ganar la liga que de ser secuestrados por extraterrestres. Alan no tenía muchas más esperanzas, pero se dejó llevar por el entusiasmo de los chavales. Ellos no tenían dudas. Ganarían la liga. En ese momento el compromiso era total y firme.

El único problema era que los Riverbend Warriors todavía eran un grupo de jugadores individualistas sobrados de bríos e incapaces de concentrarse. El reto iba a ser hacerles entender que sólo alcanzarían su objetivo si trabajaban todos a una. Debían comprometerse a cambiar su modo de actuar. Lo del compromiso no iba a costar. Lo difícil era que modificaran su estilo de juego y aprendieran nuevas técnicas. Y eso iba a requerir mucha voluntad.

Alan hizo que el equipo volviera a la pista, les marcó unas posiciones y les enseñó dos jugadas sencillas que había descubierto en un libro de la biblioteca. Sin embargo, en lo que pensaba era en cómo podía conseguir que el compromiso de los chavales fuera tal que no pudieran echarse atrás ahora que se habían marcado el objetivo. No pensó lo mismo cuando el entrenamiento salió mal. Esas dificultades iban a seguir. Se imaginó que se olvidarían y que pasarían a la historia de siempre, a echarle la culpa al árbitro, a la pista y a los entrenadores por no ganar la copa.

«Es una pena que no sean un poco mayores –pensó Alan–. Si lo fueran, podría recurrir a sus novias.» Alardear delante de las chicas había sido una de las motivaciones de Alan.

Y entonces lo vio claro. No se trataba de presumir de lo bien que lo hacías –para decirlo de forma coloquial– y luego cosechar las mieles del triunfo o afrontar la agonía de un fracaso delante de todos. Era el compromiso con los demás lo que realmente motivaba a las personas. Aquellos chavales a lo mejor no tenían novias, pero sí padres, entrenadores, profesores, amigos, compañeros de clase y a ellos mismos. Si se comprometían con todas esas personas para triunfar sería muy difícil que se echaran atrás y además tendrían una fuerte motivación.

Al igual que montar en bici, patinar es una de esas cosas que una vez que la aprendes nunca se olvida. Mientras Alan patinaba por la pista creyó percibir que las cuchillas de sus patines marcaban un ritmo que hacía mucho que no recordaba.

> *Ra, ra, ra*
> *ra, ra, ra*
> *Central High,*
> *Central High,*
> *y nadie más*

Era el himno del equipo de fútbol de su instituto. Eso era. Necesitaban un himno.

Pero no para que lo cantaran unas animadoras, sino para que lo entonaran los chavales e hicieran piña entre ellos y todos aquellos que los oyeran.

–¿Puedes hacerte cargo de los chicos unos minutos, Gus?–dijo Alan, y se fue patinando hacia el banquillo.

Mientras Gus se hacía cargo del equipo, Alan cogió la tablilla de las notas del entrenador y buscó un folio en blanco. Cinco minutos después lo tenía.

Alabá, alabí
Estamos con Tim
balín, balán, balones
Riverbend campeones

–¿Alabá, alabí? –dijo Milt riéndose.

–Es un himno –respondió Alan–. Lo importante es que si los chavales lo cantan en los entrenamientos y en los partidos, en casa y en el colegio, harán piña.

–Sí, son así–convino Milt.

A los chicos les entusiasmó. Tenía un ritmo casi primitivo. Cantaron a voz en cuello: «Alabá, alabí», como si tuviera sentido y entonaban el «balín, balán, balones» golpeando la pista con los palos, como si tocaran un tambor.

Desde ese momento los entrenadores decidieron que el equipo de hockey sobre hielo de primaria de la Escuela Riverbend empezarían y acabarían cada entrenamiento y partido con ese cántico. Y cada vez que lo entonaban los chavales renovaban su compromiso con sus padres, sus entrenadores, sus compañeros y con ellos mismos.

Por la noche, después de contarle a Susan lo del himno y su propósito de ganar la liga, Alan dijo:

–Tengo que empezar a buscar trabajo.

–Te equivocas –respondió Susan muy seria–. Tienes una buena indemnización y mucho tiempo por delante para encontrarlo. No te había visto tan feliz desde hacía años. Creo que necesitas un tiempo para recargar las pilas y hacer de entrenador te ayudará. Hay muchos trabajos, pero sólo una copa de la liga. Mi consejo es que vayas a por ella.

No trabajar, no moverse ni hacer cosas para controlar la situación y volver a ser el dueño de su destino era una suerte de herejía para Alan. Pero tras un momento de vacilación se mostró conforme. Hasta que Susan lo había dicho Alan no se había dado cuenta de lo feliz y entusiasmado que estaba. Hacía mucho que no se sentía tan vivo.

A Tim ya le habían dado de alta del hospital cuando llegó el partido del sábado. Los jugadores estaban pletóricos de energía en el centro de la pista y gritaban: «Alabá, alabí/Estamos con Tim».Tras jugar un desastroso parcial de 10 a 3 que les infligieron los mucho mejor organizados West End Raiders, lo máximo que los chavales pudieron hacer fue entonar sin entusiasmo el himno mientras se encaminaban cabizbajos a los vestuarios.

Los chicos habían pasado en un tiempo récord del entusiasmo a la desilusión, pero la ausencia de Tim, así como la pancarta que habían pintado y colocado en una esquina de la pista, les hizo recuperar la férrea determinación de ganar. Cuando el equipo salió de los vestuarios, los entrenadores les habían vuelto a insuflar ánimos diciéndoles que ningún equipo había ganado la liga sin conocer la derrota.

Antes de que aparecieran al final del túnel, donde les esperaban sus padres, los muros resonaron con:

Alabá, alabí
Estamos con Tim
balín, balán, balones
Riverbend campeones

Esa noche, mientras conducía de vuelta a casa, Alan sopesó las diferencias entre su experiencia como entrenador de los Riverbend Warriors y su vida profesional. Los Warriors tenían a Tim. Ganar en honor de Tim les motivaba. Ganar la liga era como la búsqueda del Santo Grial. Una razón para triunfar. Si llegaban a hacerse con ella, la copa, como el Santo Grial para los caballeros de la Mesa Redonda, otorgaba la salvación. En su trabajo, el equipo de Alan sólo era un grupo de personas que no estaban cohesionadas por una causa común, al menos ninguna por la que nadie se preocupara y ciertamente nada que pudiera compararse con el Santo Grial.

Además de su búsqueda de su particular Santo Grial, los Warriors tenían un compromiso con ellos mismos y con cualquiera que hubiera oído su himno: triunfar. En el trabajo, el equipo de Alan tenía algunos objetivos comunes, pero no se los habían marcado ellos mismos. Se los había marcado la dirección. Quizá fueran importantes para la dirección, pero para Alan no eran un asunto de vida o muerte. Incluso dudaba de que alguno de su equipo se los tomara muy en serio. Alan podía haber propuesto ganar la copa de la liga, pero los chicos habían hecho suyo ese objetivo.

Cuando Alan aparcó en su garaje, tardó un poco en bajar del coche. Había algo más sobre los Riverbend

Warriors, los equipos y él mismo, pero se le escapaba. Tenía la incómoda y vaga sensación de estar ante un rompecabezas que necesitaba una solución que le duró hasta la tarde siguiente, cuando Milt Gorman lo llamó para proponerle un plan para el entrenamiento del jueves.

—A Gus Nanton le ha gustado. ¿Qué piensas tú? —le preguntó a Alan después de explicarle brevemente lo que se traía entre manos.

—A mí también me parece bien —contestó Alan.

—Genial —respondió Milt—. Si esos chavales van a intentar ganar la liga, tenemos que ponernos las pilas.

Alan colgó el teléfono y se quedó parado un momento, pensando. Milt nunca lo había llamado hasta ese día, y tampoco había elaborado ningún plan para los entrenamientos. Volvió a tener la incómoda sensación de la tarde anterior, la vaga sensación de que se le escapaba algo.

Mientras apagaba las luces de casa para acostarse, de pronto, la respuesta le vino a la mente. Era tan obvio que cuando lo descubrió se dijo: «Eso es» en voz alta, y su rostro se ensanchó con una sonrisa.

Alan volvía a ser parte de un equipo. En realidad, de dos. Del equipo de los Riverbend Warriors, y en particular de su equipo de entrenadores. Milt, Gus y Alan eran un equipo. Ellos también tenían su Santo Grial, enseñar unos valores a aquellos chavales, disciplina, a jugar limpio, disciplina y a trabajar en equipo, necesitaban todo eso para tener unas vidas plenas e interesantes como miembros activos de sus familias, su ciudad y su país. Además, al igual que los chavales, los entrenadores tenían un compromiso. Habían escrito el himno para los chicos, con lo que habían hecho que ganar la liga pareciera que estaba a su alcance. Cada vez que los chavales cantaban el himno, el compromiso que tenían los entrenadores con los chicos, los padres y con ellos mismos –prepararlos para triunfar en la liga– quedaba grabado de nuevo en los corazones y las mentes de todos los que lo oían.

Le gustara o no, Alan volvía a ser un miembro del equipo, pero esta vez no tenía los conocimientos para cumplir el objetivo por sí solo, sin contar con Milt y Gus. Y lo que era peor, ellos le necesitaban a él. Él había puesto en marcha aquello y, sin su colaboración, estaba seguro de que sería un fracaso. Milt, Gus y los chavales volverían a sus habituales pautas de trabajo. No había una vuelta atrás que fuera honorable: Alan era un miembro del equipo.

Aquel martes, Alan volvió a pasar una noche agitada. No hacía más que darle vueltas a la cabeza. Por primera vez en su vida se había metido en una situación en la que si hacía las cosas solo no iba a conseguir nada por mucho que se esforzara. Alan no tenía ni idea de qué paso tenía que dar a continuación.

A la mañana siguiente le confió sus dudas a Susan:

–Ojalá pudiera ayudarte, Alan, pero aún sé menos de cómo crear equipos y de cómo funcionan que tú –le dijo su esposa–. Lástima que no podamos contar con la señorita Weatherby. Sus equipos ganaban más ligas de baloncesto en el instituto que cualquier otro. Ella sabría qué hay que hacer, pero oí que murió hace cinco o diez años. Era toda una dama y una magnífica entrenadora.

—Sí, lo era —convino Alan recordando a aquella profesora de inglés, alta, delgada, de acerada mirada, que consiguió muchos más éxitos como entrenadora de baloncesto que en el intento de hacerle comprender a Shakespeare—. Weatherby debía de estar a punto de jubilarse cuando nos graduamos. No recuerdo haber oído que muriera, pero a lo mejor tienes razón. Ahora tendría ochenta años como mínimo.

5

EN REALIDAD TENÍA OCHENTA Y CINCO.
Weatherby tenía ochenta y cinco, y sus manos estaban deformadas por la artritis, pero cuando Alan la vio poco después esa misma mañana en el salón de la residencia Park Manor se dio cuenta de que había olvidado que tenía una forma de llevar la ropa que hacía que el vestido más sencillo fuera elegante. Mediante una llamada a la Asociación de Profesores una hora antes había sabido que todavía estaba viva y conseguido su dirección.

Pero, ¿en qué medida estaría viva?, se preguntó Alan cuando cruzó la estancia. E incluso si todavía conservaba el juicio, ¿podría ayudarle? Un equipo de hockey sobre hielo de unos niños de primaria no era lo mismo que un equipo de baloncesto de chicas de secundaria. Y si recordaba su experiencia como entrenadora, ¿podría decirle algo que le sirviera ahora? Al fin al cabo, hacía veinte años al menos que había ganado la última liga.

La residencia Park Manor tenía una excelente reputación y Alan sabía que era una de las más caras de la zona. Weatherby debía de tener mucho dinero o un plan de jubilación muy generoso. Sería caro, pero cuando Alan entró en el salón le sorprendió el aire más bien institucional del lugar. La atmósfera del sitio le hizo sentir que el propósito que lo llevaba allí era una minucia. Se preguntó si la señorita Weatherby sabría al menos dónde estaba.

Su oído sin embargo era muy fino. Cuando Alan se acercó, sus pisadas la alertaron. Estaba sentada ligeramente inclinada hacia delante. Apoyado firmemente en el suelo, entre sus pies, se veía un bastón, sujeto por dos huesudas y artríticas manos que lo agarraban como si quisiera evitar que saliera volando. Al oír las pisadas de Alan, alzó la cabeza y frunció el ceño levemente para fijar mejor la vista. Al reconocerlo su cara se iluminó con una sonrisa, y nadie sonreía como la señorita Weatherby. Era una hermosa mujer de color, de rostro radiante. Si algo había hecho el paso de los años era subrayar su elegancia.

–Vaya –dijo–. Pero si es el pequeño de los Foster. Me debes un trabajo.

Alan tuvo un fugaz instante de alegría (lo había reconocido, la cabeza debía de funcionarle), que dio paso a un sentimiento de decepción. ¿Un trabajo? Había perdido el juicio. Vivía en el pasado

–«Hamlet y el rey Lear: comparación entre dos héroes trágicos», si la memoria no me falla –dijo la señorita Weatherby.

Aunque Alan había acercado una silla se quedó delante de ella sintiéndose como un niño malo que no ha hecho sus deberes. Su primera reacción fue que esa sensación era ridícula. La segunda fue muy diferente.

El sonrojo empezó por sus orejas y pronto le cubrió toda la cara. Las palabras de la señorita Weatherby encontraron un eco en su memoria. Era la última semana del último mes del último curso. Todo estaba listo para la graduación, menos el trabajo que le faltaba por presentar. Y ya no había tiempo para hacerlo.

–Alan, puede que no seas un estudioso de la filología inglesa, pero eres un buen muchacho –le dijo la señorita Weatherby–. Te lo voy a dar por presentado.

La gratitud que sintió Alan le hizo tartamudear, e insistió tanto en lo mucho que le gustaban sus clases que la señorita Weatherby añadió:

–No me había dado cuenta de que te gustara tanto el inglés, Alan. Seguro que encuentras tiempo para escribirlo y entregármelo un día.

Viendo que lo mejor era no decir nada, salió de clase apresuradamente y se lanzó a la carrera por el pasillo. Fue la última vez que vio a la señorita Weatherby. Ella lo había recordado y él se había olvidado.

–Eso sí que es tener memoria –dijo Alan cuando se sentó frente a ella.

–Cuando eres viejo muchas veces los recuerdos son todo lo que tienes. Los guardas como si fueran objetos preciosos –dijo la señorita Weatherby haciendo un ademán hacia las personas de muy avanzada edad que contemplaban con mirada perdida la ventana–. Eso es lo que pasa cuando los pierdes.

–Vinimos aquí cuando Jack, mi marido, enfermó. Así podíamos estar juntos –dijo la señorita Weatherby con voz calma–. Jack está muy grave.

–No sabía que estuviera casada.

–No tenías por qué saberlo. En casa era la esposa de Jack Gow, pero mantuve mi apellido en el colegio después de casarme. Todo el mundo, incluido el director, me llamaba Weatherby. Nada de señora o señorita Weatherby Sólo Weatherby. Me gustaba. Pero ¿por qué has venido? No veo que me traigas ningún trabajo para que lo puntúe. Parece que has venido buscándome, así que debe de haberte traído alguna razón.

A Alan le costó veinte minutos contarle por qué había ido a verla. Weatherby le interrumpió varias veces para hacerle preguntas, pero ni una sola vez lo hizo para darle un consejo o hacerle un comentario. Cuando Alan hubo acabado, ambos se quedaron sentados en silencio durante unos minutos. Weatherby fue la que habló primero.

–Un equipo es una cosa maravillosa, Alan. Nos permite alcanzar logros que no podríamos conseguir por nosotros mismos y a la vez hace que seamos humildes. –Y nuevamente volvió a guardar silencio–. Cuanto mayor te haces, más religioso te vuelves, Alan. Leo la Biblia todos los días. La mujer que está en la habitación contigua a la nuestra me provoca diciéndome que estoy empollando para el examen final. Pero incluso cuando era joven, justo por la época en que empecé a entrenar al equipo de baloncesto, creía que los equipos son una de las maneras en que Dios nos dice que es real, que existe.

Alan la miró sorprendido, desconcertado. Él había ido allí buscando la forma de ayudar a unos niños de diez años a tirar un disco de goma negra al fondo de una red y sin saber cómo se encontraba en medio de lo que parecía que iba a ser una conferencia religiosa.

–No creo ser una fanática de la religión, Alan, si eso es lo que estás pensando –dijo Weatherby al ver la expresión de Alan–. No voy a intentar convertirte. Si necesitas convertirte ya te convertirás solo. Todo lo que quiero es ser clara desde el principio sobre cuál es mi idea original. Si vamos a trabajar juntos, tienes que entenderlo. Para mí, los equipos son algo más que un grupo de personas. Yo creo que hay como una chispa divina que marca la diferencia entre un grupo y un equipo.

–¿Puede explicarme eso? –le preguntó Alan, intrigado.

–Puedo hablarte sobre ello, sí. Pero explicártelo... No sé. Sin embargo, así es como lo veo. En el preciso instante en que dejo a un lado mi ego y puedo ver la divina conexión con Dios empiezo a pensar primero en los demás. Cuando esto ocurre, me transformo. Paso de ser una mujer relativamente incapaz a formar parte de algo más poderoso, productivo y eficaz de lo que sería por mí misma. Todo se resume en diez palabras. Y sólo tres de ellas tienen más de dos sílabas.

Y entonces Weatherby pronunció las palabras que iban a cambiar la vida de Alan para siempre:

–*Ninguno de nosotros vale más que la suma de todos.*

Por la forma en que lo dijo, Alan supo que le estaba ofreciendo una clave, quizá la clave del éxito de Weatherby.

—Ésa es la esencia del equipo, Alan. La auténtica comprensión de que ninguno de nosotros vale más que la suma de todos . ¿Te acuerdas de que te he dicho que formar parte de un equipo nos hace humildes? Bien, una vez que se acepta que ninguno de nosotros vale más que la suma de todos, uno relega sus necesidades, su orgullo y sus planes y pone en primer lugar las necesidades, el orgullo y los planes del equipo.

—Vale —dijo Alan—. ¿Nos ayudará a crear esa clase de equipo?

—Soy una pobre vieja que está preparándose para el examen final, Alan. He estado aquí el tiempo suficiente para reconocer las señales. Mi Jack ya está alzando velas. Yo no tardaré en seguirle —dijo Weatherby mirando con amor y ternura a su marido—. Cuando se vaya, también yo estaré preparada para irme —dijo con voz queda. Volvió la cabeza hacia Alan, y con una repentina sonrisa añadió—: Pero, Alan, antes de irme estoy lista para otro campeonato.

Y diciendo esto soltó su bastón, estiró sus delgados dedos y puso la palma hacia arriba para que Alan le chocara los cinco.

—Genial —dijo Alan en un arrebato de entusiasmo cuando chocó la palma con la de la mujer.

Alan le contó a Weatherby lo del himno, y la mujer demostró que su memoria inmediata era tan buena como su memoria del pasado lejano. Entonces ambos cantaron a coro:

> *Alabá, alabí.*
> *Estamos con Tim.*
> *Balín, balán, balones*
> *Riverbend campeones*

Una vez que hubieron acabado, Weatherby le sugirió otro final:

> *Alabí, alabá, alabimbombá,*
> *este partido lo vamos a ganar.*
> *Chócala, chócala, chócala.*

—«Este partido lo vamos a ganar». Me gusta —comentó Alan y volvió a levantar la mano para chocar palmas con la mujer.

—A mí también —dijo Weatherby—. Estas tres estrofas se añadieron al himno del equipo de baloncesto poco después de que te graduaras. Piensa en ello. En el momento en que nuestras palmas se tocan intercambiamos energía. No puedes chocar las palmas tú solo. Se necesita al menos un equipo de dos miembros, y los dos tienen que hacerlo al unísono para que funcione. Y cuando funciona, es pura magia. Es lo mismo que cuando un equipo juega al máximo de sus posibilidades: es mágico. Siempre he pensado que chocar las palmas es la viva imagen de un gran equipo que funciona a la perfección y está obteniendo un magnífico resultado.

—Ahora lo veo como usted —dijo Alan. Como activados por un mismo resorte empezaron a cantar espontáneamente, esta vez con el nuevo final:

Alabá, alabí.
Estamos con Tim.
Balín, balán, balones
Riverbend campeones
Alabí, alabá, alabimbombá,
este partido lo vamos a ganar.
Chócala, chócala, chócala.

Por toda la habitación, casi al unísono, las personas que parecían estar mirando por la ventana como zombis se volvieron y miraron aquellas dos figuras que estaban cantando un himno. Alan observó que Jack lucía una sonrisa radiante.

6

LA SIGUIENTE TARDE QUE VISITÓ a Weatherby, ésta salió del edificio de la residencia Park Manor con paso decidido en cuanto Alan enfiló el sendero que llevaba a la puerta principal. A Alan le gustó ver que pese a la ligera nevada que había caído hacía poco Weatherby caminaba con su mano izquierda bien sujeta a la barandilla que la residencia había instalado para sus inquilinos. Llevaba el bastón en la derecha, pero no lo apoyaba. Lo sostenía a la altura de la cintura y con la contera iba limpiando la nieve del pasamanos a medida que avanzaba.

–Conduciré yo –anunció Weatherby con su mejor tono de maestra de escuela, ésa que no permite réplica.

–¿Conduce a menudo? –preguntó Alan confiando en que así fuera.

–No he cogido un volante desde hace años –respondió Weatherby.

–¿Tiene carnet? –gruñó Alan.

–¿Con mi vista? Debes de estar bromeando. Me quitaron el carnet hace años.

Alan empezó a murmurar algo sobre si aquello era seguro, pero Weatherby se sentó en el asiento del pasajero.

—Venga —dijo entre risas—. Vamos a echarle un vistazo a ese equipo tuyo. —Y se abrochó el cinturón a la par que obsequiaba a Alan, de pie junto a la puerta, con una sonrisa de tal placer que éste no pudo por menos que corresponderla—. Hace mucho que no he tenido nada que ver con un equipo —dijo mientras Alan se dirigía a la pista para el entrenamiento del jueves—. ¿Ya has avisado a los otros entrenadores de que estoy un poco oxidada?

—Están encantados de que venga. Necesitamos ayuda. Usted sabe más de equipos que cualquiera de nosotros.

—Bueno, he conocido muchos. Cuando era profesora. Solía trabajar todos los sábados con Jack, primero para ayudarle a levantar su negocio y más tarde, cuando tuvo éxito, para que siguiera adelante. Central Castings. Debes de haber oído hablar de ella.

—No, lo siento.

—¿No? No me lo puedo creer. Bueno, es igual. Lo importante es que trabajé allí durante tres años después de retirarme y puedo decirte que en esa empresa vi a equipos de vendedores, de producción y equipos para crear equipos. En el instituto teníamos equipos de deportes, equipos de profesores y equipos especializados en hacer frente a determinados problemas. Los conozco todos, Alan, y los buenos equipos, los que tienen éxito, siempre tienen cuatro cosas en común, sin importar de qué tipo sean. Alabí, alabá, alabimbombá/con cuatro cosas vamos ganar:/Chócala, chócala, chócala —empezó a cantar Weatherby y estalló en risas.

—¿Qué le han dado para cenar esta noche? —le preguntó Alan—. Debe de haber sido una pócima mágica. Se la ve muy contenta y deseosa de ver a los chavales.

Alan quería saber cuáles eran las cuatro cosas que hacían que un equipo triunfara, pero no pudo evitar hacer un comentario sobre el entusiasmo de Weatherby. Tenía la cabeza erguida, los hombros rectos, el rostro animado e incluso la artritis de sus manos parecía haber mejorado. Hacía un momento llevaba agarrado el bastón y tiraba la nieve del pasamanos de la barandilla con una agilidad que Alan hubiera creído imposible la primera vez que la visitó.

—Tú eres mi pócima mágica, Alan. O tu equipo de hockey. ¿Sabes lo que es vivir en una residencia como ésa? Claro que no. Te embota. Todos los días es lo mismo. Lo único que cambia es que cada mes se muere alguien y entra uno nuevo. Park Manor es la sala de espera del Cielo, Alan. No me importa esperar ni me importa morir. El infierno es vivir sin un objetivo, sin un sentido. Entonces empiezas a pensar que ya no tienes nada que ofrecer a los demás. Cuando uno se ha pasado la vida dándose a los demás, ayudándoles, y aparece alguien que te dice que necesita ayuda, es el mejor regalo que te pueden hacer.

—Yo me he metido en este lío por la misma razón —dijo Alan—. Me despidieron, como le conté, y Milt Gorman me dijo que me necesitaba. Hubiera sido lo mismo si me hubiera pedido que instalara duchas en los vestuarios.

—Ésa es una de las cuatro claves para que un equipo tenga éxito.

—¿Que haya duchas en los vestuarios? —bromeó Alan.

—No, eso está bien pero no es necesario. Escucha. La primera clave es que haya un propósito común apoyado en unos valores compartidos y unos objetivos. Es la primera clave para que un equipo funcione. Si no tienes una buena razón para que la gente se una y que sea lo suficientemente importante para que la gente se entusiasme y comparta valores y objetivos, no hay forma de tener un gran equipo. Pero esto ya lo sabías. Ya conoces la diferencia entre un equipo que se esmera porque es bonito ganar y un equipo decidido a ganar la copa de la liga en honor de un compañero lesionado. Y todavía funciona mejor si el equipo tiene lo que yo llamaba un programa de acción.

—¿Qué es eso? —preguntó Alan.

—Un programa es un acuerdo básico que define con claridad el propósito del equipo, por qué sus objetivos son importantes y cómo se va a trabajar colectivamente para obtener esos resultados. De hecho, vuestro himno es una especie de programa —dijo Weatherby.

—Yo lo llamaba compromiso. Y nuestro propósito, nuestra razón para ganar, lo he visto como nuestra particular búsqueda del Santo Grial —dijo Alan.

—Bien dicho. Pero no importa cómo lo llames. Lo básico es que la gente tenga un objetivo lo bastante atractivo y comparta unos valores. Cuando eso ocurre, los miembros del equipo se olvidan de su propio y egoísta yo y poner el bien del equipo por delante del propio interés se convierte en una poderosa motivación. Por eso se necesita un objetivo, tu Santo Grial, y un compromiso o programa de acción. Lo maravilloso es que cuando pones el equipo por delante de todo, de repente, todas tus necesidades quedan más satisfechas que cuando antepones tus intereses.

Weatherby calló y Alan siguió conduciendo, pensando en lo que la mujer había dicho. Veía que tener un objetivo, un Santo Grial, era muy importante. Y los Riverbend Warriors parecían haberse comprometido a fondo.

«Ninguno de nosotros vale más que la suma de todos» era una idea que le costaba más aceptar. Si pensaba en el equipo de diez personas del que era parte integrante en su trabajo, no podía por menos que decirse que era más inteligente que los otros nueve juntos. Pero cuando se decía eso, una vocecita le añadía: «Y si eras tan listo y ellos tan inútiles, ¿cómo es que ellos han conservado su trabajo y a ti te han despedido?».

No era una idea agradable. Sí, vale, había un par que eran bastantes listos, pero había tres que eran más tontos que una mata de habas.

Alan iba a replicarle a Weatherby cuando oyó un ruido extraño, como si a la mujer le costara respirar. Asustado, Alan pisó el freno. Iba a llamarla por su nombre cuando se oyó un nuevo y grave jadeo, esta vez más intenso. No había posibilidad de error. Era un ronquido. Un profundo, sonoro y relajado ronquido. La tensión de Alan desapareció con una risa y volvió a incorporarse al tráfico. No sabía muy bien qué hacer, así que continuó camino del pabellón.

—¿Ya hemos llegado? —preguntó Weatherby cuando Alan aparcó el coche. Posiblemente el chirrido de los neumáticos sobre la gravilla la había despertado.

—Sí —dijo Alan y añadió—: Se ha quedado dormida

—Siempre me pasa cuando voy en coche —dijo Weatherby despreocupadamente y abrió la puerta—. Es otra buena razón para que no me dejen conducir. Venga, vamos a ver a ese equipo de hockey.

7

EL MOMENTO FUE PERFECTO. ALAN ACABABA de presentar a Weatherby a Milt y a Gus cuando el característico chirriar de unos patines procedente de la rampa de los vestuarios, acompañado por una atronadora interpretación del himno, anunció que los chavales iban a salir a la pista. La rampa tenía los muros de cemento y un techo corrido. El suelo estaba cubierto por una plancha de goma negra diseñada para proteger las cuchillas de los patines. Los chavales habían descubierto que su himno resonaba como multiplicado por un eco entre aquellos estrechos confines y que sus infantiles voces parecían el clamor de un ejército. Les encantaba entonar su himno en la rampa y lo cantaban con todas sus ganas mientras salían a la pista como una atronadora exhalación.

Los chicos empezaron su entrenamiento como todos los días, patinando por la pista, primero en el sentido de las agujas del reloj y luego en sentido contrario para calentarse. Al oír el silbato se dirigieron hacia el banquillo.

Si Milt y Gus dieron la bienvenida a la nueva entrenadora encantados pero con cierta cautela, los chavales se quedaron pasmados. Weatherby era una anciana. Y peor aún, una mujer. No se mostraron hostiles, pero sí desconcertados.

Cuando Gorman dividió a los chicos en dos grupos y los envió a jugar un minipartido de diez minutos, su opinión varió levemente cuando Weatherby les soltó con el volumen y la intensidad de un subastador de ganado:

—¡A ver cómo movéis el culo!

—Vaya con la abuela —comentó un chico en voz lo suficientemente alta para que lo oyeran los demás y con un tono de auténtico respeto que hizo que los otros la aceptaran de inmediato.

—Incluso nos cuesta hacer dos equipos que estén igualados —le dijo Gorman a Weatherby cuando los chicos se alinearon para el saque—. Jed Boothe no es sólo el mejor jugador que tenemos, es el único que sabe patinar, manejar el *stick* y tirar a puerta. Siempre gana el equipo en el que juega Jed.

—Debe ser el número veintidós —dijo Weatherby mientras subía un par de filas en las gradas para tener una mejor visión del juego—. Es agradable ver lo bien que patina.

La predicción de Gorman se cumplió. El equipo de Jed ganó por 4 a 0. Jed marcó todos los goles.

—Bueno, ¿qué piensa? —quiso saber Gorman cuando los chicos se fueron a los vestuarios una vez que hubo acabado el entrenamiento.

—Se lesionó el jugador equivocado. Vamos a tener que sentar en el banquillo a Jed si queremos ganar los partidos.

Gorman y Nanton reaccionaron con un silencio estupefacto. Alan estaba desconcertado, pero por una razón completamente distinta. Nunca había advertido la similitud que había entre Jed y él; pero cuando Weatherby dijo aquello, comprendió de repente que Jed estaba haciendo en la pista lo mismo que hacía él en su trabajo. Weatherby había tenido que venir de fuera para reconocer que Jed era un problema, igual que George Burton, el presidente de su antigua compañía.

—Pero si es nuestro mejor jugador —protestó Gorman.

—Es bueno. Nos hundiremos sin él —dijo Nanton.

—Pero es un individualista —argumentó Alan Foster—, y apostaría a que Weatherby nos va a decir que el equipo no podrá ganar los partidos si un jugador eclipsa a los demás.

—No exactamente —dijo Weatherby—. Puedes tener a un jugador que es mucho mejor que los demás. Puedes tener a una estrella. Lo que no puedes tener es a una estrella que está más preocupada por sus jugadas que por el juego del equipo. Tú lo llamas individualista. En baloncesto solíamos decir que a esos jugadores se les pegaba el balón a las manos. Cuando se hacían con la pelota, su única preocupación era hacer canasta ellos solitos.

—Jed marca la mayoría de los goles —afirmó muy serio Gorman—. Sin él tendremos problemas.

—Ya los tenemos. Y no son pequeños —dijo Weatherby—. ¿Qué puede ser peor que ser el farolillo rojo de la liga seis años seguidos?

La respuesta impidió que hubiera más objeciones. Weatherby tenía razón. No podía ser peor.

—Quizá podamos trabajar con Jed y convertirlo en un jugador de equipo —dijo Weatherby—. Pero hasta que lo consiga los otros tendrán que suplirlo. Nunca le piden que pase el disco, porque saben que hay más posibilidades de que marque él que si les hace una asistencia. E incluso si intenta algún pase, los otros se arrugan. Con lo que se frustran y acaban plegándose a la manera de jugar de Jed.

Alan volvió a ver paralelismos entre él y Jed. Weatherby estaba describiendo con toda exactitud cómo se comportaba él en el trabajo antes de que George Burton lo pusiera de patitas en la calle.

—Me parece que tendremos problemas de todas formas —dijo Nanton—. Perdemos cuando juega el individualista de Jed, y perderemos si Jed intenta repartir juego porque acabará volviendo a jugar él solo. Estamos hundidos.

—No, no tiene por qué ser así —replicó Weatherby—. Eso es dar por sentado que como los chicos son un desastre ahora, lo serán siempre. Si apartamos a Jed esos chicos tendrán una posibilidad real de aprender a jugar mejor. Ahora puede enseñarles la técnica, pero ellos saben que no es real. El día del partido Jed volverá a tomar el mando y ellos nunca tendrán la oportunidad de poner a prueba en un partido lo que han aprendido en los entrenamientos. Ni siquiera querrán intentarlo cuando Jed esté en el banquillo. Se dedicarán a matar el tiempo hasta que Jed vuelva a salir.

Gorman miró a Gus Nanton e intercambiaron una discreta sonrisa. No hacía mucho habían comentado lo mismo. Cuando Jed estaba en la pista sabían que podían contar con él para llevar el disco a la zona de ataque de vez en cuando. Los chavales intentaban que Jed pasara y, como no lo hacía, acababan paseándose por la pista. Además, Gorman y Nanton se habían dado cuenta de que cuando Jed estaba en el banquillo, los chicos también se dedicaban a pasearse de un lado a otro de la pista. Pero a diferencia de Weatherby, la solución que se les había ocurrido no era retirar a Jed, sino todo lo contrario, que jugara todo el rato.

–No hace falta que deje de contar con Jed. Sólo se necesita que lo siente el tiempo necesario para dar a los demás una oportunidad. Cuando vuelva a la pista, con un poco de suerte habrán ganado confianza, y él podrá acomodarse a la nueva forma de jugar –dijo Weatherby.

–Entonces, ¿cómo lo hacemos? –preguntó Milt Gorman.

–No tengo ni idea –dijo Weatherby alegremente–. Yo sólo asesoro. No dirijo. Lo que yo solía hacer con las estrellas de mi equipo de baloncesto era concederles un permiso de entre cuatro y seis semanas, era mi contribución a las artes, con la intención de que pudieran prepararse para la obra de teatro del instituto y que así pudiera descubrirlas algún cazatalentos de Hollywood. Nunca descubrieron a ninguna, pero formé varios equipos. Pero no tengo ni idea de qué hacer con Jed.

—Bueno —dijo Milt Gorman circunspecto—. Ya pensaremos algo. ¿Tiene algo más que decirnos?

—Mientras veníamos en coche hacia aquí le dije a Alan que todos los grandes equipos tienen cuatro cosas en común. La primera es un propósito apoyado en unos valores comunes y unos objetivos claros, todo ello plasmado en un compromiso o un programa de acción. Ustedes tienen su propósito: ganar la liga para Tim. El himno resume muy bien este propósito. Enseñarles las tradiciones y a jugar limpio son los valores por los que tienen que regirse. El equipo ya tiene los cimientos. Si pueden apartar a Jed por un tiempo podremos marcar unos objetivos para cada jugador. Propósito, valores y objetivos, ésa es la primera característica de los equipos que tienen éxito.

Dicho esto Weatherby calló y al cabo de un minuto Gus Nanton le preguntó:

—Entonces, ¿por dónde debemos empezar?

—Por la técnica —respondió Weatherby—. La técnica, desarrollar las habilidades y los conocimientos, son la segunda característica clave. Tienen que enseñar a sus jugadores y permitir que pongan en práctica lo aprendido. No tiene sentido que los muchachos sepan mucho de técnica si no se les anima a aplicarla. Para jugar como un buen equipo tienen que usar cada habilidad que dominen y los entrenadores han de animarles a esforzarse al máximo. Unos jugadores hábiles con entrenadores tímidos y desconfiados no hacen un buen equipo,

»Pero la técnica es la base. Un equipo no puede funcionar si no sabe qué está haciendo. Primero hay que trabajar las habilidades individuales. Los chicos necesitan unos conocimientos básicos, pero eso no basta. Todos deben comprometerse a mejorar día a día, a progresar y progresar en los aspectos básicos semana tras semana, mes a mes. Esto implica que el entrenador debe ser capaz de medir y comparar esos progresos de alguna forma. Esto era fácil de medir en baloncesto con los tiros libres, pero con otras habilidades no era tan fácil. En ocasiones hablaba con cada uno de ellos para juzgar su actuación y establecía un baremo, puntuaba a los jugadores. A veces sólo les decía cómo lo hacían en general. Lo importante es que los directores del equipo midan los progresos alcanzados y que los comenten con los chavales.

Los entrenadores escuchaban a Weatherby con respeto. Hablaba con tal determinación y claridad que no había duda de que sabía muy bien de qué estaba hablando.

–Entonces, ¿qué tenemos que hacer? –preguntó Milt Gorman.

–Primero hay que mejorar la técnica–dijo Weatherby–. No pongan esas caras de preocupación. He durado ochenta y cinco años. Les prometo que no me moriré antes de que acabe la liga. Ya les diré lo siguiente que hay que hacer cuando nos volvamos a ver. No tiene sentido complicarse la vida. Primero tienen que enviar a Jed al limbo. Luego trabajaremos a fondo la técnica.

»Y ahora es tu turno –dijo Weatherby señalando a Alan con la punta de su bastón–. Es hora de que vuelva a casa. Si me quedo hasta muy tarde esta Cenicienta se convierte en una calabaza.

–Tú ocúpate de Weatherby –le dijo Milt a Alan–. Yo llevaré a David a casa. –Y volviéndose hacia Weatherby le dijo–: Ha sido un placer conocerla y tenerla aquí. Ya estoy deseando que llegue el próximo entrenamiento.

Mientras Alan llevaba a Weatherby a casa, se preguntó qué tenían que hacer con Jed. Al minuto de que el coche arrancara Weatherby se quedó dormida, así que tuvo tiempo para pensar. Lo de deshacerse de Jed le preocupaba. Sabía cómo había reaccionado él mismo cuando se habían librado de él y no deseaba hacerle nada parecido a Jed ni participar en ello.

Alan no tenía de qué preocuparse. Mientras él se dirigía a Park Manor, el padre de Jed tenía una conversación con Milt y Gus a unos metros de los vestuarios.

–Lo he castigado. Se han acabado los deportes, el cine y la televisión –anunció el señor Boothe a los dos desconcertados entrenadores. Al ver la expresión de incredulidad de los entrenadores, el señor Boothe añadió–: Lo siento. Sé que Jed es muy importante en el equipo, pero el colegio está primero. Le advertí que si no mejoraba sus notas lo castigaría y se pasaría su tiempo libre estudiando. Si ha mejorado en los exámenes de mitad de curso podrá volver a jugar al hockey. Espero que no se enfaden por esto.

Gus Nanton fue el primero en recobrarse de la impresión.

–Ni que decir tiene que le echaremos de menos. Es un jugador de primera.

–Ojalá vuelva pronto –agregó Milt Gorman.

–Seguro que sí–dijo el señor Boothe–. Es un gran chico. Sólo que a veces le cuesta centrarse en sus estudios. Seguro que este toque de atención será efectivo.
–Los chicos empezaban a salir de los vestuarios y el señor Boothe fue a buscar a su hijo después de decir–: Gracias por ser tan comprensivos.

–No se preocupe. El colegio es lo primero –dijo Milt con el rostro serio.

El rostro de Milt se distendió en una amplia sonrisa en cuanto el padre de Jed desapareció tras la esquina.

–¡Guau! –susurró Gus, el rostro radiante de satisfacción.

–¡Fantástico! –musitó Milt, y las manos de ambos se alzaron instintivamente en el aire y chocaron las palmas con entusiasmo.

–¡Genial! –gritaron al unísono pero en voz baja.

El padre de Jed se detuvo al otro lado de la puerta del vestuario. Podía oír que los dos entrenadores cuchicheaban, seguro que tratando de consolarse el uno al otro por haber perdido a la estrella del equipo. Uno estaba tan frustrado que pudo oír cómo golpeaba la pared con la palma de la mano. Pero no había remedio, se dijo mientras abría la puerta: el colegio era lo primero.

8

—VALE, CHICOS, ESCUCHAD —dijo GORMAN con voz de trueno después de que los chavales hubieran acabado de dar vueltas por la pista para calentarse. Era un sábado, día de partido, y el entrenador Nanton había conseguido que le dieran una hora de la muy solicitada pista para una sesión especial de entrenamiento. Por suerte, todo el equipo, con las excepciones de Tim y Jed había ido. Los chavales se acercaron patinando a Gorman.

—Tenemos un reto. Hemos perdido a dos buenos jugadores, Tim y Jed. —El golpeteo rítmico de los *sticks* en el suelo le indicó que el equipo estaba de acuerdo—. Esto es lo que vamos a hacer, muchachos. —Milt sabía que a los chicos les gustaba que los tratara como si fueran mayores, aunque cuando salían en pandilla decían que iban «con los chicos»—. Va a ser duro. Pero nadie dijo que fuera fácil. Hemos perdido a dos buenos hombres, pero vamos a ganar la liga para Tim.

¿Ganar la liga? ¿Sin Jed? Los chavales miraron a sus entrenadores como si éstos se hubieran vuelto locos.

—No, no es una locura –dijo Gorman, leyendo sus pensamientos en las caras–. Tenemos un arma secreta. ¡Weatherby! No os lo dije el otro día, pero Weatherby ha ganado más campeonatos estatales que ningún otro entrenador de este estado.

El entrenador omitió convenientemente el hecho de que los había ganado con equipos femeninos de baloncesto. No hacía falta preocuparlos con los detalles.

Tras esta introducción la puerta más cercana a la zona del saque neutral se abrió y apareció Weatherby. Para no caerse Weatherby se había traído un andador y, bien agarrada a la estructura cuadrada de aluminio, avanzaba paso a paso. Alan iba a su lado, y para no herir su orgullo no hacía amago de ayudarla. Lenta pero sin pausa, Weatherby se acercó hasta llegar junto a Milt.

—Hoy sólo haremos una cosa –les dijo a los chicos con una voz sorprendentemente firme–. Aprenderemos a frenar. Entrenador Nanton, por favor, una demostración.

Mientras los chavales miraban con atención cómo Weatherby avanzaba por la pista, Gus Nanton había patinado hasta el otro extremo de la misma.

—Vale –le gritó a Weatherby.

Gus Nanton empezó a moverse con pasos secos y rápidos hacia Weatherby. Poco a poco sus largas y sueltas zancadas fueron ganando ímpetu y velocidad. Cuanto más se movía Gus Nanton, más rápido era su juego de piernas. Cuando ya estaba bastante cerca de Weatherby iba a toda pastilla. Algunos de los chavales empezaron a gritar, pues creían que el choque era inevitable. Weatherby se mantuvo en su sitio y ni se in-

79

mutó. En el último segundo Gus Nanton se volvió de medio lado y clavó las afiladas cuchillas de sus patines en la helada superficie de la pista, lanzando una lluvia de esquirlas de hielo. Las cuchillas se clavaron aún más cuando se deslizó el siguiente metro y entonces con un giro de tobillos las clavó aún más y las cuchillas hicieron presa en el hielo y quedaron bien sujetas. Gus se detuvo a medio metro de Weatherby.

Los chavales vieron boquiabiertos que Weatherby, ajena a lo que parecía una salvación milagrosa, sonreía a Nanton y se sacudía los cristalitos de hielo de la manga.

—Ha estado muy bien —dijo Weatherby con voz tranquila. —Y se volvió hacia los chicos y les dijo—: Frenar es la primera técnica que debéis dominar. Una vez que sepáis parar, podréis ir más deprisa. Podréis interceptar y robar el disco. Saber frenar es una manera de tener el control de la situación. Si vais a ganar tenéis que saber controlar el disco y eso implica que os sepáis controlar a vosotros mismos. Vamos a pasar lo que nos queda de esta hora practicando frenadas. —Se volvió hacia Milt, Gus y Alan y les dijo—: Caballeros, el equipo es suyo.

Antes del entrenamiento Weatherby les había hecho prometer a los tres entrenadores una cosa: que no habría críticas negativas. Podían hacer sugerencias para que los chicos mejoraran, pero sólo después de alabar sus progresos.

—Es sencillo —les dijo—. Para frenar hay que dar un pequeño salto en el aire, volver el cuerpo de medio lado y dejar que el patín se clave en el hielo. Todos los chicos tienen la fuerza suficiente para saltar, dar medio giro y clavar el patín en el hielo, ¿no?

Los tres estuvieron de acuerdo.

–Pregunta: ¿por qué no lo hacen bien? Respuesta: porque tienen miedo de hacerlo mal y caerse de cabeza contra el duro hielo. ¿Correcto? Correcto. Nuestro reto es inspirarles la confianza para hacerlo; no debemos pensar que necesitan que les enseñemos a saltar, dar el medio giro e hincar la cuchilla. Su tarea para hoy es darles confianza.

»Recuerden: lo que parece un problema de técnica a menudo es algo más.

Así que Milt, Gus y Alan tuvieron lo que quedaba de la hora a los chavales patinando y frenando, patinando y frenando. Cada chaval lo intentaba por su cuenta y los entrenadores iban uno por uno, observando, felicitando, inspirando confianza, volviendo a observar y alabando los progresos alcanzados.

Durante diez minutos no pasó nada, Ni tampoco en el primer cuarto de hora. A los veinte minutos el entrenamiento cuajó. Por toda la pista sólo se oía el chirrido de las cuchillas al deslizarse de medio lado por el hielo junto con los gritos de: «Eh, entrenador, ¿ha visto cómo lo he hecho?»

Al final del entrenamiento todos los chavales sabían frenar. Muchos trataban de ir lo bastante rápidos para frenar en seco y levantar una lluvia de cristales de hielo.

El partido de esa noche fue importante por varias razones.

Primero, Tim fue a verlo. En una silla de ruedas, que empujaba Alan, y con la cabeza vendada, se presentó en el vestuario antes del partido. Uno por uno todos los chavales vieron cómo entraba en el vestuario con su silla de ruedas. El ardiente entusiasmo de los chavales de diez años desapareció. Cuando Tim se puso en pie y caminó lentamente hacia el lugar donde solía cambiarse hubo vítores, aplausos, golpes de *sticks* en el suelo, felicitaciones y sonoros saludos.

–Venga, chicos, dejadle pasar –dijo Alan. Los chavales sin duda lo oyeron, pero se quedaron rodeando a Tim hasta que sonó el timbre que avisaba de que sólo quedaban cinco minutos para que empezara el partido y tuvieron que salir a la pista.

–Id a por ellos –gritó cuando el equipo salió del vestuario. Y se volvió a sentar en la silla de ruedas.

Un momento más tarde Alan se dio cuenta de que Tim aferraba con fuerza los brazos de su silla cuando se oyó el eco del himno de los Warriors:

Alabá, alabí.
Estamos con Tim.
Balín, balán, balones
Riverbend campeones
Alabí, alabá, alabimbombá,
este partido lo vamos a ganar.
Chócala, chócala, chócala.

Era la primera vez que lo oía.

–A tus compañeros les ha dolido perderte y por eso... –le explicó Alan.

–No fue culpa de nadie. Son cosas que pasan –le interrumpió Tim.

–Aun así, les sabe mal –dijo Alan, sin sacar a colación el tema de quién había tenido la culpa. A lo mejor si los entrenadores hubieran hecho bien su trabajo y les hubieran enseñado a frenar enfocándolo más como un tema de confianza que como una técnica se hubiera podido evitar el accidente.

–Todo el mundo quería hacer algo por ti, así que decidimos ganar la liga en tu honor.

Tim no podía esperar a la noche para contárselo a su madre. En el hospital estaba seguro de que ella estaba todo el rato con él. Su madre le había dicho que si realmente la necesitaba, ella estaría a su lado. Se había hecho daño. La necesitaba de verdad. Ahora que había vuelto a casa, se sentía solo, sobre todo por la noche, cuando su padre trabajaba y él sabía que el equipo se estaba entrenando o tenía partido. Pero ahora ya estaba bien y ya no estaba asustado. Ya no necesitaba tan urgentemente a su madre, y la noche volvía a ser un momento especial para los dos.

La aparición de Tim fue el primer hecho notable, y el segundo también fue memorable: los Riverbend Warriors empataron.

No era el primer equipo de la tabla, y el otro equipo había perdido a dos de sus mejores jugadores además de a su mejor portero; pero los Warriors tampoco tenían a Jed. Y empataron.

Como Jed no estaba para dirigir el juego o echarse toda la responsabilidad sobre sus espaldas, los chicos empezaron a jugar de otro modo. Paradójicamente, al saber frenar fue como si se pusieran las pilas. Weatherby tenía razón. Como ya se sabían controlar a sí mismos, sabían controlar el disco. Al menos mejor que en el pasado. Descubrieron que la velocidad, la agilidad, la lucha para hacerse con un disco disputado, todo, era mucho más fácil si sabían mantener el control.

La única que se perdió el partido fue Weatherby.

–No me necesitáis para nada –fue lo que dijo cuando Alan la llamó para ver a qué hora podía pasar a buscarla. Pero no faltó a los entrenamientos del martes y del jueves de la semana siguiente, que volvieron a dedicar a aspectos técnicos básicos: frenar, el manejo del disco, los disparos a puerta y los pases.

El partido de la noche del sábado aún fue mejor. Tim estaba en las gradas, con muletas, y Weatherby volvió a declinar ir a ver el partido. Perdieron, pero ¡menuda derrota! El tanteo final fue de 7 a 5 y en el tercer período marcaron dos goles y se pusieron a uno de los Northside Raiders. Ganaron el tercer período, ¡contra uno de los mejores equipos de la liga!

Alan llamó a Weatherby, como le había prometido, justo al acabar el partido para decirle cómo había ido.

–Genial. El martes nos dedicaremos a los objetivos individuales, los de cada jugador. Y el jueves trabajaremos el tercer elemento clave que todos los equipos tienen en común.

—¿Y cuál es? —quiso saber Alan.

—Lo que haremos el jueves —respondió Weatherby—. Los asesores cobramos por horas. No tiene sentido contártelo todo de una sola vez.

Y, efectivamente, el martes empezaron con los objetivos de los entrenamientos y los objetivos de partido con cada jugador. Weatherby los escribió en unas hojas de una libreta de tres anillas. Una hoja para cada jugador.

Milt trabajó en ellos con Jerry, el primer portero.

—Bueno, Jerry, ¿qué objetivos tienes en un partido? —le preguntó Milt.

—Pararlas todas—respondió Jerry.

—Muy bien —rió Milt—. Vamos a poner ese lema en grandes letras en el travesaño. Dejar al contrario a cero implica haber jugado un partido perfecto. ¿Cuántos goles pueden meter los otros si nosotros jugamos sólo un buen partido?

—¿Tres goles?—sugirió Jerry.

—Si lanzaran cien tiros a puerta, yo diría que estaría muy bien. Pero ¿y si sólo lanzaran cuatro veces?

—No estaría tan bien.

—Por eso vamos a marcarte unos objetivos a partir de lo que pasa ahora. De esa forma sabrás si estás jugando bien incluso cuando te metan algún gol.

Y así lo hicieron. Cada jugador mantuvo una conversación con uno de los entrenadores. Entre todos se marcaron unos objetivos para los entrenamientos y los partidos y los pusieron por escrito. Weatherby acabó trabajando con Larry, un chico al que los entrenadores llamaban entre ellos «Tira Larry Tira». Weatherby lo sabía. Al igual que Jed, Larry no solía pasar una vez que se hacía con el *puck*. Pero no era tan bueno como Jed.

—Larry, ¿cuántas veces crees que tienes que pasar en un partido? —Larry pereció desconcertado por la pregunta—. ¿La mitad de las veces?—sugirió Weatherby.

—Eso estaría bien —dijo Larry sin mucho convencimiento. Y añadió con mayor seguridad—: A menos que hagas una escapada y contraataques.

—¿Cada cuánto hay un contraataque?

—Bueno, todo el rato —respondió Larry con una enorme sonrisa.

Alan, que estaba cerca y escuchando la conversación, también sonrió, contento de que alguien estuviera trabajando individualmente con Tira Larry Tira.

Tras trabajar con Larry en una definición exacta de «escapada» Weatherby, finalmente acordó con él que debía pasar el disco en un ochenta por ciento de las ocasiones, incluidas las escapadas.

—¿Cómo lo ha conseguido? —preguntó Gus cuando revisó las hojas de objetivos después del entrenamiento.

—Ha sido una cosa de astucia —respondió Weatherby—. Vamos a engañar a los contrarios. Si Larry pasa un ochenta por ciento de las ocasiones y dispara el veinte restante lo tendrán difícil para anticiparse a su jugada. Nuestro Larry es un chico inteligente. Pasará casi siempre pero tirará a puerta cuando menos se lo esperen. Y además le dije que sus disparos a puerta podían fallar, pero que sus disparos a la red entrarían.

Aunque no lo sabía en ese preciso momento, esa noche Alan empezó algo que acabaría siendo una nueva carrera profesional. Él pensó que lo único que estaba haciendo era introducir en su ordenador personal todo lo que había aprendido del juego en equipo, empezando por la despedida de George Burton: «Usted es muy bueno por sí mismo, pero su equipo no funcionaba. Usted es un individualista, Alan. Usted es un equipo de un solo hombre y eso no sirve hoy en día. Necesito gente que sepa trabajar conjuntamente para alcanzar nuestros objetivos. Quizá una persona en concreto no marque tantos puntos, pero el equipo marcará muchos más».

Entonces Alan no podía estar de acuerdo con Burton. Pero Tim, Jed, Jerry y Weatherby le habían enseñado lo que realmente era el juego de equipo. A regañadientes, comprendió que Burton tenía razón.

9

CUANDO ALAN PASÓ A RECOGER a Weatherby para el entrenamiento del jueves le faltó tiempo para preguntarle cuál era la tercera clave para que un equipo tuviera éxito.

–Te lo dije la primera vez que viniste a verme a la residencia.

–¿Me lo dijo?

–Sí, te lo dije. Creo que fue lo más inteligente que dije ese día, o en todos los que llevamos, sobre el tema.

–Ahora me acuerdo –dijo Alan recordando la frase que aquella mañana había marcado en negrita cuando repasó las notas que había introducido en el ordenador.

Ninguno de nosotros vale más que la suma de todos

–Eso es –dijo Weatherby–. Te lo dije entonces y te lo digo ahora: ése es el fundamento de un equipo. El poder colectivo del grupo puede más que la habilidad individual. Si la gente se centra en brillar por sí misma puede arruinar la efectividad del equipo. Pero si todos ponen al grupo por delante y se centran en que el equipo destaque, la sinergia es mágica, Alan. Lo he visto en los equipos deportivos, en los de profesores, en los de ventas, en los de manufacturados. Incluso pasaba lo mismo con el tiro de cuatro caballos que tenía mi padre en la granja. Cuando todos hacen piña los resultados son siempre mucho mejores que la suma de cada acción individual.

Alan se detuvo un momento a pensar. Aquello tenía su lógica. Primero un propósito que motive a la gente. Luego las técnicas necesarias que puedan ayudar a conseguir ese objetivo. ¿Y qué se obtiene con ello? Coordinación, concluyó Alan. Una coordinación de sinergias. Ése es el mensaje que subyacía en la tercera clave. Estaba a punto de comentárselo a Weatherby cuando oyó un leve ronquido proveniente del asiento del pasajero.

Como siempre, cuando el coche frenaba en la gravilla de la plaza de aparcamiento, Weatherby se despertó, salió del coche y se fue a buen paso hacia el pabellón deportivo, aunque Alan intentó adelantarse y abrirle la puerta

–¿Cómo podemos convencer a los chicos de que «Ninguno de nosotros vale más que la suma de todos»?

–Con las fichas –respondió Weatherby misteriosamente. Metió la mano en su bolso y sacó seis paquetes de fichas. Se las tendió a Alan–. Cógelas pero no las mezcles.

Alan miró las fichas mientras pasaban por el bar camino de la pista. En total eran sesenta fichas de un tipo de cartón de color blanco. Weatherby las había numerado con un grueso rotulador negro del uno al nueve, dibujando unos números muy grandes. Alan se preguntó para qué sería aquello.

—Asegúrate de que los niños estén decentes. Empezaremos el entrenamiento de hoy en el vestuario. Adelántate y avísales de que voy a ir a verles. Yo aún tardaré un poco en llegar.

Tanto los entrenadores como los chicos miraron a Weatherby intrigados cuando ésta llegó.

—Vamos a ver. Esto es importante. ¿Quién saca mejores notas en matemáticas? —preguntó en cuanto entró en el vestuario—. Tened en cuenta las últimas notas. Los que tengan las notas más altas que se coloquen al lado de la puerta. Los que tengan las más bajas, a mi lado, al final del vestuario.

Los chavales empezaron a comparar sus notas y pronto se colocaron en fila, como se les había ordenado. Al entrenamiento habían ido los quince jugadores del equipo y Weatherby los separó en dos grupos. Los primeros ocho y los últimos siete. Entonces le dijo a Alan que diera un mazo de fichas a cada uno de los tres primeros y otro a cada uno de los tres últimos.

—No es justo —dijo Taylor, que estaba en el pelotón de las malas notas—. Ellos tienen a los tres mejores y nosotros... —se interrumpió sin saber muy bien como decir «los tres peores» sin decir «los tres peores».

—Los menos hábiles. Vosotros sois los menos hábiles.

—Y vosotros sois ocho y nosotros sólo siete —añadió Taylor, quejándose con un tono de mayor seguridad.

–No, no somos siete –dijo Weatherby–. También somos ocho. Yo soy la que hace ocho. Bueno, vosotros los de las buenas notas, sentaos en el extremo izquierdo del banco. Nosotros nos sentaremos en el extremo derecho.

Los chicos ocuparon sus sitios.

–Éste es el juego –dijo Weatherby–. El entrenador Gorman dirá en voz alta un número entre el cero y el veintisiete. Cada grupo levantará tres fichas. Todas las fichas tienen un número. Esos números tienen que sumar entre ellos la cifra que diga el entrenador Gorman. El primer grupo que levante las fichas que sumen ese número gana. Podéis hablar entre vosotros. Podéis cambiar la ficha aunque ya la hayáis levantado. El primer equipo que acierte tres cifras de las que diga el entrenador Gorman ganará. Entrenador, diga una cifra cuando esté listo.

–Dieciocho –dijo Gorman. Las fichas se alzaron, los niños hablaban, las fichas se cambiaban, había discusiones. Weatherby no hizo caso. Fue hacia uno de los chicos de su grupo que levantaba las fichas y le dijo:

–Tú eres Graham, ¿verdad? Ya lo pensaba. Estuve observando cómo hacías aquellos pases rápidos en el entrenamiento del martes. Eres muy bueno. Mira. Esto es lo que quiero que hagas. Si el entrenador Gorman dice un número entre cero y dieciocho tú levantas el cero. Si es el diecinueve o uno mayor, levanta el nueve. ¿Vale? Sólo levanta esas dos fichas. Hasta dieciocho, el cero. A partir de diecinueve, el nueve.

–De acuerdo –dijo Graham.

–Si el entrenador Gorman dice «dieciocho», ¿qué ficha levantarás?

Graham levantó el cero.

–Buen chico –dijo Weatherby.

Mientras hablaba con Graham, los chavales del equipo contrario se pusieron de acuerdo y con un siete, un dos y un nueve consiguieron que sus fichas sumaran dieciocho. Weatherby no hizo caso cuando Gorman los declaró ganadores. En vez de eso fue hacia Andy, que también levantaba las fichas de su equipo.

–Vamos a jugar otra vez –le dijo Weatherby a Gorman y al instante se dirigió a Andy y le dijo en voz baja–: Si el entrenador Gorman dice un número menor de nueve, levanta un cero. Si es un número mayor, levanta el nueve. ¿Vale?

–Veinticinco –dijo entonces Gorman.

Volvió la agitación, los gritos, los consejos, las disputas y la confusión entre los chicos del equipo de los buenos. Pero en el extremo del banco del equipo de Weatherby, Graham levantó un nueve y Andy levantó otro nueve. Weatherby se sentó al lado de Tony, el tercer chico que levantaba ficha, y le dijo discretamente:

–Si el número que dice el entrenador Gorman tiene un dígito, levanta ese número. Si tiene dos dígitos, como veinticinco, suma los dos números y levanta el número resultante. ¿Cuántos son dos y cinco?

–Siete –dijo Tony.

–Entonces levanta un siete.

Tony lo hizo así y mientras el equipo de los buenos barajaba las fichas y gritaba en absoluta confusión,

Gorman anunció que el equipo de Weatherby era el ganador. Los del equipo de los buenos no se lo podían creer. Mientras estaban intentando organizarse, Weatherby le dijo a Tony:

—Pero atención con el diecinueve. Si Gorman dice el diecinueve, tienes que sumar ese número dos veces. ¿Cuantos son nueve y uno?

—Diez —respondió Tony.

—Eso es. Ahora suma uno y cero. ¿Qué te sale?

—Uno.

—Perfecto —dijo Weatherby—. Levanta el uno si el entrenador Gorman dice «diecinueve».

Gorman dijo nueve. Tanto Graham como Andy levantaron un cero y Tony un nueve. Volvieron a ganar antes de que el equipo de los buenos ni siquiera se hubiera puesto a pensar.

—Quince —dijo Gorman.

Graham levantó un cero, Andy alzó su nueve y un segundo después Tony, tras sumar uno y cinco, levanto un seis. El equipo de los buenos se quedó estupefacto.

Antes de que Gorman volviera a decir un número, los del equipo de los buenos comprendieron que el equipo de Weatherby actuaba conforme a un método, así que decidieron hacer lo mismo. Pero como ignoraban qué método era, no se coordinaron y perdieron cada vez, con lo que acabaron echándose las culpas los unos a los otro por el fracaso del equipo. Y aún se enfadaron más cuando Weatherby empezó a rotar a los chicos que levantaban las cartas en su equipo. Hasta dejó que los chavales se enseñaran entre sí el método.

—Pero hacedlo en voz baja —les advirtió—, para mantener el plan en secreto.

Por último, tras doce jugadas, Weatherby dio por terminado el juego y anunció los resultados.

—El tanteo final es: los buenos uno, y el equipo de los menos hábiles once. No está mal, nada mal, para ser los menos hábiles.

Los chavales del equipo de los menos hábiles estaban radiantes de orgullo cuando Weatherby explicó el sistema que habían utilizado.

—Aquí hay varias lecciones que tenéis que aprender. Una, si tenéis los conocimientos básicos y un plan de juego, aplicad ese plan de juego. Dos, los menos hábiles pueden derrotar a los más preparados si trabajan en equipo y los buenos no. Tres, las habilidades son importantes, pero una vez que se dominan las básicas trabajar en equipo es más importante que tener esas habilidades. Cuatro, si se trabaja en equipo, se puede vencer a los mejores si éstos no saben trabajar en equipo.

Weatherby hizo una pausa y repasó las cuatro lecciones, y esta vez acabó diciendo:

—En el fondo, las cuatro lecciones son la misma, son diferentes formas de ver el mismo hecho. Hay una frase de diez palabras que la resume muy bien: «Ninguno de nosotros vale más que la suma de todos». ¿Alguien puede decirme qué significa? «Ninguno de nosotros vale más que la suma de todos.»

Aaron levantó la mano

—¿Sí, Aaron?

—Significa que no importa lo inteligente que yo sea,

nunca seré tan inteligente como la suma de todos los cerebros del equipo juntos, esto es...

–Sigue.

–Bueno, creo que significa que si quiero conseguir la máxima inteligencia posible, lo que tengo que hacer es combinar mi inteligencia con la de los demás, o sea, es como conectar varios ordenadores para conseguir uno más potente.

–Muy bien, Aaron. ¿Y qué crees que significa esto en un equipo de hockey?

Aaron lo pensó un momento y dijo:

–Significa que aunque los jugadores de los otros equipos sean individualmente mejores que nosotros, si sabemos jugar en equipo mejor que ellos, podemos ganarles.

–Aaron, eres más listo que el hambre. Eso es exactamente lo que significa. No importa lo buenos jugadores que sean, podemos trabajar conjuntamente y vencerles. Podemos hacer en la pista lo que mi equipo ha hecho con las fichas de números. Tenemos que trazar un plan. Podemos trabajar juntos para llevar a cabo ese plan. Si los del otro equipo no tienen un plan mejor que seguir, tenemos la oportunidad de ganarles por muy buenos que sean sus jugadores.

Alan no quiso interrumpir a Weatherby, pero cuando ella se detuvo le dijo con toda naturalidad:

–Dígame, ¿qué hubiera pasado si Gorman hubiese dicho «siete» y Graham, en vez de levantar un cero se hubiese dicho: «Vaya, ése es fácil. Me voy a marcar un tanto» y hubiera levantado un siete?

–Él lo hubiera hecho bien, pero el equipo habría

perdido –dijo Jerry, que había sido uno de los chicos encargados de levantar las fichas en el equipo de los buenos.

–Eso es –dijo Alan–. Graham hubiera levantado la ficha correcta, se hubiera marcado un tanto, pero el equipo no habría ganado el punto. Una vez que se tiene un plan, todo el equipo tiene que seguirlo.

»En el hockey, si el plan marca que tienes que pasar y en vez de eso lanzas y metes un gol, el equipo se beneficia de ese gol. Pero ¿qué pasará la vez siguiente? Seguramente no meterás un gol, y así una y otra vez. Siempre que se tiene un plan, el equipo meterá más goles si se ciñe a él, aunque eso signifique que uno se apunte menos goles en su cuenta personal.

–El entrenador Foster tiene razón –dijo Weatherby–. Más adelante, una vez que hayamos aprendido a seguir un plan, hablaremos de cuándo podemos introducir cambios en él. Parte del plan de cualquier gran equipo es saber cuándo es oportuno cambiarlo según las circunstancias. Pero esto viene después. Ahora os propongo que vayamos a la pista y empecemos a trazar planes para marcar un montón de goles jugando en equipo.

Las últimas palabras de Weatherby, «Vamos a echarle ganas», quedaron ahogadas por las estrofas del himno que los chavales cantaban a pleno pulmón mientras subían por la rampa que llevaba a la pista.

Weatherby tenía otra sorpresa para los chicos y los entrenadores.

–Os propongo lo siguiente –dijo Weatherby a los

chicos–. Cuando se mete un gol gracias al juego de equipo es como ser el hombre de la cima de esas pirámides humanas que se ven en los circos. El hombre de la cumbre está allí gracias a los compañeros que lo sostienen. ¿Y quién tiene más mérito? Los hombres de la base. Ellos son los que sostienen toda la pirámide.

»A partir de ahora vamos a usar un nuevo sistema para elegir al mejor jugador de cada partido. El jugador que marque un gol obtendrá un punto. El que le pase el *puck*, el que le haga la asistencia, obtendrá dos. El jugador que pase al que haga la asistencia, tres.

A los chicos les pareció que era una gran idea. Jed, que hasta entonces había sido el máximo anotador, no habría pensado lo mismo, pero no estaba. Y tanto los chavales como los entrenadores aceptaron con entusiasmo la idea de que hubiera un premio para el mejor jugador y la peculiar forma de Weatherby de asignar el premio.

El resto del entrenamiento lo pasaron practicando jugadas y posiciones. Los entrenadores se lo habían enseñado incontables veces, pero ahora, con la nueva visión de lo que significaba jugar en equipo y con Jed castigado en casa a estudiar, el equipo trabajó con una entrega y una ilusión mucho mayores.

—Una vez que los chicos dominen esas técnicas y puedan aplicar en los partidos algunas de las jugadas ensayadas en los entrenamientos, propongo que empecemos a rotar a los aleros y los defensas –les dijo Weatherby a los entrenadores tras el entrenamiento–. La versatilidad es muy importante para que los equipos tengan éxito. Los miembros de un equipo deben estar entrenados para conocer bien los otros puestos. Eso multiplica el potencial del equipo.

»Las rotaciones no sólo enseñan nuevas habilidades, también dan variedad y hacen que los miembros del equipo se sientan cómodos con los cambios. Los equipos deben saber adaptarse y la gente no aprende nuevas habilidades si siempre sigue la misma rutina o hace las mismas cosas de la misma forma por las mismas razones.

—¿Y qué pasa con el portero? ¿También debemos rotar a Jerry?

—En los partidos no —dijo Weatherby—. Jerry tiene un puesto especializado y no es lógico esperar que los otros puedan dominar esa técnica igual que él. Tampoco tiene sentido hacer rotaciones entre los pilotos y los auxiliares de vuelo. Pero sí que tiene sentido que tanto pilotos como auxiliares conozcan a fondo diferentes tipos de aviones. Recuerda que tu propósito es lograr mentes flexibles y habilidades polivalentes. En los entrenamientos, de vez en cuando no le hará ningún daño al equipo que alguno de los otros defienda la portería. Como mínimo, le tendrán más respeto a Jerry.

—Parece una buena idea —dijo Gus. Milt y Alan se mostraron de acuerdo.

—Otra cosa —dijo Weatherby—. Como Tim no va a poder jugar en toda la temporada, no tenemos un capitán. Propongo que el cargo también sea rotatorio. Parte de la flexibilidad de los grandes equipos consiste en la capacidad y la voluntad de compartir el liderazgo.

—Es una idea muy buena –exclamó Alan, y les contó lo que vio la noche que se lesionó Tim en el hospital. Ver a aquel equipo hospitalario actuar fue increíble. Todo el mundo estaba dispuesto a asumir la responsabilidad cuando fue necesario. Todos estaban concentrados en hacer lo que hacía falta para que el equipo funcionara bien. Todas sus energías estaban orientadas a ser un miembro útil del equipo, y eso significaba compartir la responsabilidad, el liderazgo.

Antes de que alguien pudiera hacer algún comentario adicional, los chicos empezaron a salir del vestuario y los entrenadores se despidieron unos de otros.

Cuando Alan sacó el coche de la plaza de aparcamiento, Weatherby sacó unos papeles enrollados de su bolso, los alisó y se los pasó a Alan.

—Vas a necesitar esto para el partido del sábado.

Alan frenó en la puerta del aparcamiento y dio la luz del interior del coche para ver lo que Weatherby le había dado. Eran unos certificados. En el encabezamiento se veía escrito en letras de imprenta: EL MEJOR JUGADOR DE LOS RIVERBEND WARRIORS. Debajo había un espacio para el nombre del ganador y otro para que Alan, Gus y Milt firmaran como entrenadores.

—Esto está muy bien –dijo Alan–. Pero no veo dónde va a firmar usted.

—Yo soy una asesora, no dirijo, ¿recuerdas? Pero si estuviera en la dirección haría todo lo posible para que Tira Larry Tira ganara el primer título.

–¿De dónde ha sacado estos certificados?

–Los hice con mi ordenador. Los viejales tenemos algunos recursos.

–Ya lo veo –dijo Alan, que apagó la luz y arrancó el motor–. Antes de que se quede dormida, me gustaría comentarle algo.

–¿Quedarme dormida?

–Sí, se queda dormida. A menos que mi coche haya aprendido a roncar.

–Ha sido cosa de Jack, ¿verdad? Le he dicho durante años que yo no ronco. Pero di lo que tengas que decir rápido por si me entra sueño.

–He pensado que su primera clave para los equipos de éxito, «que haya un propósito común apoyado en unos valores compartidos y unos objetivos», en el fondo dice que hay que entusiasmar a la gente, darles una dirección y un sentido dentro del marco de un equipo.

»La segunda clave, "desarrollar las habilidades y los conocimientos", contribuye a lograr el objetivo. La tercera clave, hacer entre todos que el equipo sea fuerte, la idea de que ninguno de nosotros vale más que la suma de todos, en el fondo habla de la coordinación, de la coordinación de sinergias.

»¿Todavía está despierta?

–Claro que lo estoy.

–Vale. Y ahora veo que la idea de que ninguno de nosotros vale más que la suma de todos en el fondo dice que hay que aplicar las habilidades individuales en beneficio del equipo. Hasta ahora no lo había entendido. La razón de que los equipos puedan funcionar bien es que al combinar las habilidades individuales se crea un nuevo conjunto de habilidades, las habilidades del equipo. Los individuos, por sí mismos, nunca podrán tener las habilidades propias de un equipo.

–Eso es –dijo Weatherby–. Y lo que has dicho antes también es cierto. Me refiero a la coordinación, y también has sabido ver lo de las sinergias. La suma de todo ello es más que la suma de las partes. Es como los dos faros de tu coche. Si tapas uno, ¿a qué distancia ilumina uno? Pon ciento cincuenta metros. Pero si se encienden los dos faros a la vez, cada uno ilumina ciento cincuenta metros, ¿y qué sucede? Pues que los primeros ciento cincuenta metros quedan más iluminados y quizá hasta se ve bien cincuenta metros más allá. Esos cincuenta metros más sólo pueden verse si llevas los dos faros encendidos. Al combinarse los dos, aumenta la potencia. No sé cómo ni por qué pasa, pero es así.

–Tampoco yo sé por qué ocurre –dijo Alan–. Como sabe, me despidieron porque no sabía trabajar en equipo. Era como Jed Boothe. Creo que mi faro iluminaba ciento sesenta metros, por decirlo así. Mucho más que el faro de los otros, que iluminaba ciento cincuenta metros y a los que yo no ayudaba. No quería combinar la luz de mi foco con nadie, así que nadie conseguía iluminar los doscientos metros. –Tras una pausa Alan añadió–: La verdad es que son muy interesantes los paralelismos entre los equipo de hockey de niños y los equipos de trabajo.

–Un equipo es un equipo, Alan. Los equipos de trabajo pueden ser mejores en ciertos aspectos que los deportivos, y viceversa, pero a la postre, un equipo es un equipo.

—Por lo general, los equipos deportivos parecen mejores que los de trabajo —contestó Alan—, al menos en las ligas mayores, aunque nuestro equipo de hockey ya es mejor que el equipo del que yo formaba parte en mi trabajo.

—Los equipos deportivos tienen más experiencia —dijo Weatherby—. Por lo general saben mantener mejor su rendimiento y valorar mejor y de forma más clara el desempeño personal.

—El próximo sábado tendremos un premio al mejor jugador de cada tiempo. Esto hará que los chicos tengan una valoración inmediata. Los entrenadores no esperan todo un año para ver cuál ha sido la actuación de cada jugador y si éste ha cumplido los objetivos.

—Yo creo que los entrenadores son más duros que los jefes, pero al presidente de mi compañía no le costó mucho tiempo quitarme del banquillo.

—Ser duro es sólo una característica más de los entrenadores, Alan. En los deportes, los entrenadores están mucho más dispuestos a invertir en formación y entrenamiento. Evidentemente tú tienes mucha capacidad y eres brillante. Lo único que necesitabas era una llamada de atención. Un entrenador nunca hubiera desperdiciado un talento como el tuyo.

—Es usted muy amable —dijo Alan.

—Es la verdad. En el mundo de los deportes la gente es entusiasta de la preparación. Cuando trabajaba con Jack en el mundo de los negocios descubrí que muchos de nuestros competidores eran reacios a formar a sus trabajadores. Les preocupaba que sus empleados fueran muy buenos, porque eso hubiera implicado cambios. O hubieran tenido que pagarles más o esos empleados hubieran abandonado la empresa. Lo que no entendían es que los buenos empleados son más productivos, por lo que la empresa puede permitirse pagarles más.

—A mí me parece de lo más obvio —dijo Alan.

—Así es, y ellos lo sabían, pero no creían en ello. No es lo mismo saber que creer. Pero el problema mayor no era el dinero. Lo que realmente les daba miedo es que esos empleados dejaran la empresa, con lo que hubieran perdido todo el dinero invertido en formarlos.

—Parece razonable —dijo Alan.

—Lo es hasta que comprendes realmente la naturaleza de la coordinación de sinergias de la que antes hablábamos. Todos los conocimientos individuales revierten en el equipo. Los empleados que han recibido una formación hacen que el equipo se crezca. Si un jugador bien entrenado se va puede hacer daño al equipo, pero el equipo continuará trabajando por encima de su nivel inicial. Como dice la canción: «Eso no te lo podrás llevar».

—Ya hemos llegado —dijo Alan cuando vio la residencia Park Manor—. No se ha dormido en todo el viaje.

—Lo único que me gusta más que una buena cabezada es una buena conversación —dijo Weatherby.

Y siguieron hablando.

—Incluso en el caso de que una persona muy capaz se vaya, la organización o la compañía seguirá beneficiándose de sus conocimientos porque los ha estado compartiendo –dijo Alan–. Y la organización o el equipo ha aprendido a funcionar mejor. Esta experiencia, esta capacidad, no se pierde cuando se va un miembro clave del equipo. Puede que disminuya un poco el rendimiento, pero no se pierde.

Alan abrió la puerta de su lado y la luz del interior del coche volvió a encenderse. Mirando detenidamente a Weatherby le preguntó intrigado:

—¿Y usted aprendió todo esto entrenando al equipo de baloncesto de un instituto y ayudando a Jack en su empresa?

—Bueno, también tuve alguna experiencia más –dijo Weatherby abriendo la puerta

—¿Vendrá al partido del sábado? –le preguntó Alan cuando la acompañó a la puerta.

—No puedo. Pero llámame después para decirme el resultado y quedar para que me recojas el martes para el entrenamiento.

Esa noche, cuando Alan se sentó delante de su ordenador para poner al día sus notas, se preguntó qué habría querido decir Weatherby con lo de «alguna experiencia más».

Movido por la curiosidad, buscó el nombre de Lillian Weatherby en Internet. Descubrió muchas noticias viejas sobre campeonatos de baloncesto y una sobre cuando se retiró, pero absolutamente nada que pudiera explicar su comentario.

Estaba a punto de dejarlo cuando tuvo una idea. Puso en el casilla del buscador «Lillian Gow» y pinchó «Buscar». Esta vez dio en el blanco. Lillian Gow aparecía como miembro del ejecutivo de un estado, como miembro de la junta directiva de una cadena de almacenes de la Costa Oeste, un banco y una compañía aérea. También había sido asesora de una asociación de industrias del acero y de fábricas de componentes para el automóvil.

Al principio Alan pensó que debía de tratarse de otra Lillian Gow. Pero no lo era. Se había retirado de su último consejo de administración hacía ocho años, a los ochenta.

Una noticia en la que se citaban unas palabras del presidente de ese banco, John Christie, contaba la historia.

Descubrí a Lillian Gow en el colegio. Me enseñaba inglés. Quería a una mujer en el consejo de administración y me había ido muy bien con los profesores, así que pensé que tener a un profesor sería una buena idea.

Cuando Lillian accedió a unirse a nosotros, se comprometió a ser la persona mejor preparada en cada reunión del consejo. Y además era muy sagaz.

Uno de los otros miembros del consejo era una autoridad estatal y se la llevó a su gabinete. Otro estaba en el consejo de una cadena de almacenes, e hizo otro tanto.

Ahora puede ser famosa, pero fuimos nosotros los que la descubrimos.

Lo primero que se le ocurrió a Alan fue contarle a Weatherby lo que había descubierto. Pero lo pensó mejor y decidió no decirle nada. Si ella quería contárselo, ya lo haría. Si no quería, él lo respetaría.

10

RIVERBEND WARRIORS: 6.
Eastland Wolverines: 4.

Y esto sólo fue parte de la historia.

La historia que hay detrás de esto es que justo antes del partido Milt supo que Tim no podría asistir al encuentro. Lo habían llevado de urgencias al hospital con un fuerte dolor de cabeza.

—Sangraba por la nariz —le contó su preocupado padre a Milt—. Le suele pasar de vez en cuando. Pero con el accidente y el dolor de cabeza los médicos quieren asegurarse.

Los chavales se darían cuenta de que Tim no había ido a ver el partido, así que Milt les contó lo que había pasado, pensando que tendría que hablar un rato con ellos para levantarles el ánimo, pero Tira Larry Tira lo hizo por él.

—Parece que es una noche ideal para que ganemos el partido en honor de Tim —dijo Larry en medio del silencio del vestuario—. Cuando sepa que hemos ganado, se le pasará el dolor de cabeza.

Esa noche el himno de los Warriors resonó con un timbre primitivo cuando aparecieron por la rampa de los vestuarios, preparados, con ganas y más capaces que nunca de presentar batalla.

El premio al mejor jugador también tuvo su papel en esta historia. Tira Larry Tira fue el ganador con todo el mérito. Durante el partido Larry no hizo más que pasar el disco. Excepto una vez. Al principio del tercer tiempo, con sus padres desesperados porque la estrella de su hijo aún no había disparado a puerta, Larry se encontró solo frente al portero de los Eastlands cuando Roberto le pasó el *puck*. Larry lanzó y marcó. Sus padres se volvieron locos de alegría.

Viendo que tenía una oportunidad y sabiendo que la presión de los padres podía ser perjudicial para la nueva forma de jugar de Larry, Milt dejó el banquillo y se fue hacia donde estaban los padres de Larry.

–Vaya golazo –dijo–. ¿Se han fijado en que Larry juega ahora con una estrategia pensada para ayudarle a marcar más goles? La idea es que pase el disco a menos que vea la posibilidad de marcar muy clara. Eso desconcierta al contrario. Esperan que pase, así que cuando tira a puerta los coge con la guardia baja. Su estadística de goles por intento se va a disparar. Y no me sorprendería que marcara dos o tres goles si lo intenta un par de veces más.

¡Dos o tres goles! Los ojos de los padres hicieron chiribitas ante la perspectiva.

Más tarde en ese mismo tiempo, Milt Gorman oyó dos voces familiares que gritaban:

–¡Pasa, Larry, pasa!

Sin embargo, el golazo vino cuando sonó la sirena que indicaba el final del partido.

–Entrenador, está haciendo un trabajo fantástico –le dijo el padre de José Monterro a Milt Gorman cuando los chavales enfilaron el túnel hacia el vestuario-. De repente están jugando como un equipo.

–Alan Foster es el responsable de todo –empezó a explicar Milt, pero antes de que pudiera mencionar a Weatherby, el señor Monterro se volvió, cogió a Alan por el codo y se lo llevó con él mientras le decía–: Señor Foster, me gustaría hablar un momento con usted.

–Por supuesto –dijo Alan de inmediato, tratando de recordar todas las conversaciones que había mantenido con el señor Monterro y pensando cuál podría ser el problema.

–Lo que me interesa es el trabajo de equipo –dijo el señor Monterro–. Necesitamos mejores equipos, y creo que usted es el hombre adecuado. ¿Cuánto nos cobraría por ayudarnos?

–Perdone, ¿ayudarles?

–En lo del trabajo en equipo, claro. Mi compañía le necesita, señor Foster. Pagaré cualquier cantidad que sea justa. Venga a charlar con nosotros una hora o dos y díganos qué tenemos que hacer.

–Lo siento, señor Monterro. Nunca he hecho eso –dijo Alan.

–Bueno, pues hágalo ahora. Dígame la cantidad.

–No sé, realmente...

–¿Qué le parece... –El señor Monterro se acercó a Alan y le susurró una cantidad que venía a ser lo que le pagaban a la semana en su anterior trabajo.

–¿Por un par de horas? –dijo Alan con un hilillo de voz.

–Un par de mañanas.

–Pero eso es mucho.

–No aceptaré un no como respuesta.

–No puedo.

–Claro que puede. Mire, el trato es éste. Usted viene y nos ayuda, y si creo que su ayuda no vale cada centavo de lo que le he dicho, no le pago. ¿Y ahora qué? ¿Vendrá?

–Tengo que pensármelo.

–De acuerdo. Tenga mi tarjeta. Llámeme el lunes. Y para decirme que viene. Mi compañía necesita algo de esa magia de equipo que ha sabido crear con los chicos.

–Pero hay mucha gente que me ayuda. No sólo soy yo –dijo Alan.

–Claro –dijo el señor Monterro–. No esperaba que un experto en equipos lo hiciera todo solo.

Cuando Alan llamó a Weatherby para decirle el resultado, le contó lo de la oferta del señor Monterro.

–Es una locura, ¿verdad?

–No tanto, Alan.

–Pero incluso en el caso de que pudiera hacerlo gracias a todo lo que usted me ha enseñado, es demasiado dinero.

–En primer lugar, lo que cuenta no es lo que yo te he enseñado. Es lo que has aprendido, de mí, de los chicos, de los otros entrenadores y de los libros que has estado leyendo. Mucho de lo que has aprendido lo has aprendido de tu propia experiencia, tanto en el trabajo como en el equipo de hockey. La experiencia es la mejor maestra.

»Te has convertido en una persona muy capaz, y esos conocimientos que tienes han hecho que el equipo mejore mucho. Eso es precisamente lo que estuvimos hablando la noche del jueves pasado. Aunque ahora te vayas, el equipo no olvidará lo que ha aprendido. Por eso las empresas de éxito y los mejores equipos siempre están aprendiendo. Todo lo que necesitas hacer ahora es ir y compartir lo que has aprendido con otros. Eres un maestro fabuloso, Alan.

—Pero es demasiado dinero.

—¡Tonterías! Si ayudas a Monterro a crear un equipo de trabajo, te apuesto a que en poco tiempo consigues unos ingresos extras. Una paga semanal vale la pena.

—Ni siquiera sé cuál es la cuarta característica clave de los equipos de éxito —objetó Alan.

—Sí que lo sabes. Pero aún no te has dado cuenta —le replicó ella—. Ven el martes y te diré cuál es.

Alan fue a ver a Weatherby el domingo y se llevó un listado con las notas que había ido introduciendo en su ordenador. La idea de tener que dar una charla de dos horas sobre el trabajo en equipo le imponía. Por otro lado, trabajar con el equipo, enseñar y ayudar a los demás a tener éxito era la cosa más divertida que había hecho en su vida. Si pudiera ganarse la vida con ello sería el mejor trabajo del mundo.

Weatherby revisó sus notas y le dio el mismo consejo que le había dado Susan:

—Aquí tienes un material muy bueno, Alan. Y lo
mejor de todo es que dominas el tema. Te he observa-
do con los chicos. Tienes un don natural para enseñar.

»Y una cosa más. Lo creas o no, eres un héroe, una
fuente de inspiración. La gente quiere ser parte de un
gran equipo: le gusta crear equipos importantes. Tú
eres la prueba de que eso puede hacerse, y no te ofen-
das, pero si un hombre como tú, que ha sido despedido por no saber trabajar en equipo, puede conseguirlo,
ésa es la prueba de que ellos también pueden. Yo te digo que lo hagas, da la charla.

Y Alan lo hizo.

El martes, Alan aprendería cuál era la cuarta característica clave. El miércoles por la mañana a las diez los
372 empleados de Monterro Enterprises se reunirían
para escuchar su charla sobre el trabajo en equipo.
Alan había intentado retrasar su charla un par de semanas, pero el señor Monterro fue inflexible. Quería a
Alan ya.

11

EL MARTES TAMBIÉN FUE EL DÍA en que Tim salió del hospital. Había prometido que asistiría al partido del sábado.

–Me ha dicho que felicite sobre todo a Larry por su premio –contó Milt en el vestuario antes de que empezara el entrenamiento. Todo los guantes se elevaron en el cielo en honor de Larry. El vestuario resonó con los vítores, silbidos y gritos, una forma extraña pero muy tradicional de indicar que se sumaban a lo dicho.

Mientras los chicos patinaban para calentarse, los entrenadores se reunieron en el banquillo del equipo local.

–Bueno, Weatherby, es hora de que nos diga cuál es la cuarta característica clave para formar un equipo de éxito –dijo Milt.

–Ya va siendo hora, si vamos a ganar la liga y Alan va a dar su charla mañana –dijo Gus.

–Así sea.

–Es la clave de las tres erres –dijo Weatherby–. ¿Qué otra cosa podía esperarse de una maestra de escuela? La clave es repetir las recompensas y los reconocimientos.

—«Repetir las recompensas y los reconocimientos» —dijo Milt como un eco.

—Esta característica refuerza las tres primeras —dijo Weatherby—. Siempre que tengas la oportunidad, y en el caso de que no la haya debes crearla, tienes que proponerte actuaciones que se correspondan con las tres primeras características claves, que haya una coordinación entre el propósito, los valores y los objetivos, el desarrollo de las habilidades y los conocimientos del equipo y «Ninguno de nosotros vale más que la suma de todos».

»La gente repite las acciones que les han hecho ganar recompensas y reconocimiento. Lo que hay que hacer es realzar lo positivo.

—Hacer que la gente haga las cosas bien —dijo Milt en tono reflexivo.

—Muy bien dicho. Pero el problema es hacer eso diariamente —comentó Weatherby—. En primer lugar, no estamos acostumbrados a preocuparnos de que las cosas se hagan bien. Tanto a los directores de las empresas como a los entrenadores les preocupa más que las cosas se hagan mal. La gente suele concentrarse en buscar las excepciones, en los errores al hacer las cosas y en corregirlos. No es malo hacer frente a un problema antes de que se haga mayor, pero las empresas y los equipos irían mejor si la gente trabajara para aumentar el número de cosas que se hacen bien en vez de preocuparse por rectificar las cosas que se hacen mal.

–O sea, si los chicos hacen dos cosas bien, tienen menos tiempo para hacer las cosas mal, ¿no?–preguntó Milt.

–Más o menos –respondió Weatherby–. Y si hacen dos cosas bien, lo que hacen mal ocasionalmente tiene menos importancia.

–O sea, que para conseguir que más cosas se hagan bien hay que dejar de hacer las cosas mal, ¿no? Viene a ser como las dos caras de la misma moneda –arguyó Gus.

–Si lo que tienes es un número limitado de monedas, tienes razón–dijo Weatherby–. Pero por lo general uno tiene muchas monedas, muchas oportunidades para hacerlo bien, muchas más que las posibilidades de conseguir que lo que se hace mal se haga bien.

–En vez de centrarse en los disparos a puerta que no entran, debemos centrarnos en los disparos a puerta que acaban dentro de la red –dijo Alan.

–Exacto. En eso y disparar a puerta más a menudo. Hay que centrarse en lo positivo. Y la forma de hacerlo es asegurarse de que las tres primeras características clave se cumplen, y eso implica repetir las recompensas y los reconocimientos.

»Y hay otra cosa –continuó diciendo Weatherby–. Otra razón para hacerlo así. Cuando uno se centra en lo positivo, se adquiere el hábito de hacer las cosas bien. Una vez tuve un alumno que acabó trabajando colocando vigas de acero en edificios de veinte y treinta pisos. Le pregunté cómo se las ingeniaba para caminar por esas vigas. Me dijo que el truco era concentrarse en dónde debías colocar el pie y nunca, nunca, pensar en dónde no había que ponerlo. Si no hacía eso podía dar por seguro que se equivocaría. Si uno se concentra en hacer las cosas bien, acabará haciendo muy pocas cosas mal.

–Antes hablábamos de que debía haber una correspondencia, una coordinación, entre lo que la gente hace y el propósito del equipo, los valores y los objetivos, el desarrollo de las habilidades y los conocimientos del equipo. ¿Hay alguna diferencia entre esa idea de la coordinación y hacer las cosas bien?

–En realidad no, pero si uno habla de coordinación da la impresión de que es más fácil de conseguir. Por eso me gusta utilizar esa palabra. Además, muchas veces se piensa que hacer las cosas bien sólo implica hacer determinada acción positiva y de trascendencia inmediata. Marcar un gol, por ejemplo. Sin embargo, mantener la posición y defender tu zona, aunque el disco no esté cerca también es hacerlo bien, pero como ahí parece que no se juega nada, la gente se olvida de la importancia que tiene eso para el juego de equipo. Y recordad, reconocer los logros a menudo es suficiente recompensa.

–Si reconocemos y recompensamos a cada jugador que juega de forma coordinada... –empezó a decir Milt.

–Estaremos en el buen camino para ganar la liga –le interrumpió Weatherby.

–Y supongo que eso es lo suficientemente importante –dijo Alan, a medias afirmando, a medias preguntando.

–Es más que importante. Como he dicho, ésa es la base para las tres características clave. De esa forma las aspiraciones de uno adquieren un valor por sí mismas y se rinde un tributo tanto a las habilidades individuales como a las del equipo, se crea una energía que anima a la gente a concentrarse en el triunfo del equipo, no en su actuación personal.

Se produjo un momento de silencio. Los chavales habían acabado su calentamiento y se acercaban patinando al banquillo.

–Una última cosa, Weatherby. Al centrarnos en alabar todo lo que redunda en beneficio de los objetivos del equipo, la asimilación de nuevos conocimientos y el potencial del equipo, estamos garantizando que todos nos centremos en la misión del equipo. Y eso reduce mucho todos los esfuerzos orientados a evitar que las cosas se hagan mal, ¿no? –dijo Alan.

–Efectivamente –respondió Weatherby–. A menudo ocurre que la gente y los equipos se entusiasman por cosas que hacen bien pero que no se corresponden con sus objetivos y en cómo quieren funcionar. Y entonces se obcecan en seguir esa pauta negativa de comportamiento. Larry era un buen ejemplo de ello.

–Tiene razón –dijo Milt–. Y lo que hemos hecho, si uno lo piensa bien, es definir con claridad los objetivos que tenía que cumplir Larry, además de decírselo a sus padres, y entonces utilizar la recompensa y el reconocimiento para modificar su comportamiento y que actuara en función de su nuevo objetivo.

—Es increíble lo bien que ha funcionado, ¿verdad? —dijo Weatherby—. Ahora, si no les importa, tengo unos nuevos premios para los chicos, otros certificados que les quiero enseñar. Se los entregaremos después de cada partido y entrenamiento.

—Me parece bien —dijo Gus—. Pero si hay tantos, ¿no reduciremos el efecto que tienen los premios en los chavales? Quizá acaben no dándoles importancia.

—Estamos muy lejos de eso —dijo Weatherby cuando empezó a buscar en su bolso y sacó un montón de nuevos certificados—. Escriban sus nombres aquí y fírmenlos, y les garantizo que esos chicos los conservarán cuando tengan nuestra edad. Aún guardo la cinta que gané en la carrera de relevos que corrí en primaria. Quedamos terceras. Es mi premio más importante, sólo había tres equipos en la carrera.

—Yo aún guardo un montón de menciones honoríficas de cuando iba con los *boy scouts* —admitió Milt—. Tengo tantos que debo haber ganado una cada dos semanas.

—Bueno, vamos a coordinarnos un poco —dijo Alan—. Y vamos a dar nuestras recompensas.

Cuando Weatherby presentó sus premios, quedó claro que tenía pensados tres para cada entrenamiento y partido. Estaba el premio al jugador más aplicado, el premio al espíritu de equipo y el premio del entrenador. El brillo de los ojos de los chavales demostró que los premios iban a ser muy populares.

Cuando Alan empezó a ayudar en los entrenamientos del equipo, se turnaba con Milt y Gus para trabajar con los chicos. Ahora Weatherby los tenía a los tres en la pista de hielo constantemente y con unas instrucciones específicas: que no hubiera críticas negativas.

—Podéis señalar cosas que tienen que mejorar y ayudarles a hacerlo mejor. Ése es vuestro trabajo. No les regañéis.

—Ya sé que voy a parecer un ogro, pero creo que los chicos a esta edad responden bien si uno les pega una bronca –dijo Gus.

—Si fueran unos golfillos, unos gamberros, o algo así, tal vez. A veces hay que conseguir que la gente nos preste atención. Y determinados comportamientos han de tener unas consecuencias. Pero de lo que aquí se trata es de enseñar unos conocimientos y unas habilidades individuales y de equipo.

—¿Ha estado en Sea World, Gus? –le preguntó Weatherby.

—Sí, he estado.

—¿Le gustó el espectáculo?

—Fue fantástico. Tenían una orca que podía hacer cualquier cosa. Jugaba a la pelota con su preparador y saltaba por encima de unas cuerdas. Incluso hacía sumas, daba las respuestas dando golpes en el agua con una aleta.

—¿Usted cree que esos preparadores consiguieron todo eso mediante unos refuerzos positivos?

—¿Lo dice en broma?

—Piense en ello, Gus –le dijo Weatherby–. ¿Castigaría usted a una orca por cometer un error y luego se metería en el agua con todos esos kilos de músculo que tienen y esos dientes?

—Ni pensarlo —dijo Gus.

—Si los preparadores de Sea World pueden hacer que una orca salte en el aire reforzando los comportamientos positivos, creo que nosotros debemos ser capaces de enseñar a unos niños de diez años a meter el *puck* en la portería sin ningún problema.

Era difícil llevarle la contraria a Weatherby cuando empezaba a argüir, así que los tres entrenadores se fueron hacia la pista para analizar las cosas que hacían los chicos y que coincidían con su objetivo. Y luego, entre elogios, les sugirieron cómo podían hacerlo aún mejor.

Al final del entrenamiento se entregaron tres premios, con sus respectivos certificados. Después de ver lo emocionados que estaban los ganadores, a Alan no le cupo duda de que aquellos trozos de papel serían unas posesiones muy preciadas que conservarían toda su vida.

Cuando los chicos se encaminaron hacia el vestuario, Weatherby llamó a los entrenadores.

—Entre entrenamiento y entrenamiento tengo mucho tiempo para pensar en los chicos y en las cuatro características clave de los equipos que tienen éxito —dijo—. Siempre me gustó utilizar juegos de palabras y acrónimos cuando era profesora. Ayudan a la gente a recordar. Se me ha ocurrido uno relacionado con el hockey y las cuatro características clave que espero que sea de utilidad. Es un acrónimo basado en la palabra *puck*.

—Veamos cómo es –dijo Milt.

—De acuerdo. La P por «proporcionar un propósito apoyado en unos valores y unos objetivos». La U por «unir habilidades y conocimientos», ninguno de nosotros vale más que la suma de todos. La C por «crear el potencial del equipo». Y la K porque «un kilo de elogios vale más que un kilo de reproches».

—Está muy bien –dijo Gus–. La P de propósito, la U de unir habilidades y conocimientos, la C de crear un potencial de equipo y la K del kilo de elogio que vale más que el kilo de reproches. Incluso yo puedo recordarlo.

Mientras Alan llevaba en su coche a Weatherby esa noche, le dijo:

—Me he dado cuenta de que, aunque nos hemos marcado como objetivo final ganar la liga, nuestro Santo Grial, usted rara vez habla de ganar, ni siquiera refiriéndose a los partidos. Su enfoque hace más hincapié en las habilidades y conocimientos individuales y en trasladar esa experiencia individual al equipo. Incluso su característica clave de las tres erres pone más énfasis en los conocimientos personales que redundan en la mejora del equipo.

—Déjame hablar o me quedaré dormida –le interrumpió Weatherby–. Tienes razón. Quiero que esos chicos saquen lo mejor de sí mismos y que vivan la experiencia mágica de ser parte de un equipo de éxito, un equipo campeón, gracias a hacer cosas juntos, cosas que no podrían hacer por sí mismos. En el proceso ganarán algunos partidos, muchos más de los que ganarían si no aplicaran las cuatro claves de los equipos de éxito.

»Ganar está muy bien, Alan, pero es el resultado de crear un gran equipo. En eso debemos concentrarnos.

–Me pregunto si tendrá algo que ver con que sean unos niños –dijo Alan–. ¿Si fueran adultos hablaría más de ganar?

–Quizá, pero no sería lo más correcto. Si uno se concentra en ganar, no se gana más veces necesariamente. No puedo demostrarlo, pero apostaría a que la gente que piensa así luego gana en menos ocasiones. Lo malo de creer que ganar lo es todo es que, por definición, si pierdes, crees que no vales nada. Y ésa es una manera de vivir muy superficial, Alan.

»Pero si pones lo de ganar en la debida perspectiva, descubres que hay muchas otras cosas que también son importantes, a veces más importantes aún.

–¿Está usted diciendo que un equipo puede perder un partido y seguir siendo un equipo de éxito?

–Desde luego. Si haces un magnífico partido contra un contrario magnífico y pierdes, y tu equipo cree que ganar lo es todo, dejas al equipo sin nada. Pero el equipo que pone lo de ganar en perspectiva mantendrá su entusiasmo y seguirá dispuesto a entrenarse. Esos jugadores seguirán ilusionados con ser un equipo de éxito y estarán más deseosos de asimilar más habilidades y conocimientos tanto de forma individual como colectiva. Así las cosas, una pregunta, Alan: ¿qué equipo de esos dos habrá perdido?

»Y otra pregunta: ¿qué equipo tiene más posibilidades de ganar la próxima vez?

Alan ni se molestó en contestar. La respuesta era obvia. Los equipos que se centran en la mejora del individuo y del equipo, en los conocimientos y habilidades del equipo, serán los auténticos ganadores, tanto si ganan todos los partidos como si no.

—¿Aún está despierta, Weatherby?

—Sí, lo estoy.

—Sabe, creo que es más divertido dedicarse a elogiar y a hacer más hincapié en lo que se hace bien que ir detrás de los chicos para criticarles sus errores.

—Entiendo lo que quieres decir—dijo Weatherby—. Sí, entrenar de ese modo es más divertido, mucho más.

»El primer año que fui entrenadora de baloncesto gritaba y reñía mucho. Las chicas me prestaban atención si me enfadaba y gritaba, así que parecía razonable que si quería que me hicieran más caso, debía enfadarme y gritar más.

—No me la imagino haciendo eso —dijo Alan.

—No me gusta recordar que me comporté como una energúmena, pero lo hice.

—¿Y qué paso? ¿Qué la hizo cambiar?

—Estaba caminando por el vestíbulo del colegio y la señorita Lane, nuestra directora, estaba echándole una bronca a grito pelado a un alumno. Lo tenía cogido por las mejillas y le zarandeaba la cabeza. Eso no pasa hoy en día, pero hace cuarenta años sí. Era un comportamiento habitual de la señorita Lane, pero ese día comprendí de repente lo equivocada que estaba. La mitad de mi ser se horrorizó por lo que le estaba haciendo a aquel niño y la otra mitad se reía por lo estúpido del comportamiento de la señorita Lane. La aparté del niño y le dije en voz baja que fuéramos a su despacho para que se calmara.

–¿Qué pasó? –preguntó Alan cuando Weatherby se interrumpió.

–No fue a su despacho, claro. Empezó a gritarme. Le dije que me gustaría tener un espejo a mano para que viera lo estúpida que estaba siendo. No le gustó nada que la llamara «estúpida» –dijo Weatherby entre risas–. Ahora parece divertido, pero entonces fue todo un drama. ¿Sabes? No volví a verla maltratar a un niño, pero esa primavera se jubiló anticipadamente.

»Ese hecho me traumatizó tanto que me prometí que nunca me comportaría de una forma tan estúpida. Cambié de filosofía. Fue fácil porque en clase nunca me enfadaba ni gritaba. Siempre creí que los elogios y la amabilidad eran lo mejor para orientar bien a los chicos.

–Me alegro de que le cantara las cuarenta a esa bruja –dijo Alan–. Mañana por la mañana voy a soltar todo esto a los empleados del señor Monterro, y voy a darle la mitad de lo que me van a pagar, es decir, si deciden que lo que les he contado vale la pena y me pagan por ello.

–Valdrá la pena, Alan. Si algo sé ver es cuando estoy delante de un profesor bueno, brillante. Estarás perfecto. Pero no quiero dinero. Jack y yo tenemos más del que necesitamos y no tenemos hijos. Nuestros sobrinos y United Way, una organización filantrópica, que son nuestros principales herederos, celebrarán una

fiesta cuando muramos, pero gracias por tu ofreci-
miento.

–No quería ofenderla.

–Ya sé que no querías, pero me has hecho pensar en
algo que quería decirte. Te he estado aleccionando sobre la filosofía del juego en equipo, pero realmente no
te he tratado con el respeto que se merece un compañero de equipo.

–Sí que lo ha hecho –protestó Alan.

–Déjame acabar. No os he dado la oportunidad, ni
a ti, ni a Milt ni a Gus, de participar a la hora de deci-
dir lo que había que hacer con el equipo o cómo había
que hacerlo. No he enseñado al equipo de entrenadores a tomar decisiones en equipo. Os he dicho lo que
había que hacer, cuándo hacerlo y cómo. Y eso no es
formar un equipo.

–También hemos sido muy ordenancistas con los
niños –dijo Alan en tono reflexivo, con lo que venía a
darle la razón a Weatherby.

–Hay una razón –dijo Weatherby–. Cuando viniste a verme, te habías impuesto una misión casi imposible, ganar la liga. Si quería ayudarte, tenía que tomar
el mando y dar las órdenes pertinentes. No era apropiado empezar a impartiros unas sesiones de formación durante seis meses como solía hacer con los entrenadores de baloncesto. Y con los chicos viene a
pasar lo mismo. Necesitan una dirección firme, al menos por ahora.

Alan y Weatherby se quedaron callados unos momentos.

—Aunque es conveniente que un líder imparta las órdenes cuando hay una situación crítica y el líder tiene unos conocimientos y habilidades que el equipo no tiene, llega un momento en que el líder debe retirarse a un segundo plano y dejar que el equipo actúe por su cuenta. Estamos llegando a ese punto dentro del equipo de entrenadores, Alan, y pronto tendremos que empezar a dejar que los chicos asuman mayores responsabilidades en la dirección del equipo y la planificación de estrategias. Aunque no vamos a darles a unos niños de primaria las responsabilidades que pueden darse a un equipo de adultos. No tienen la experiencia ni las habilidades para relacionarse entre ellos que se necesitan para manejarse con todo esto. Pero tenemos que dejarles dar pasos en esa dirección.

Ambos callaron y Alan meditó lo que Weatherby acababa de decir.

—Próxima parada, residencia Park Manor —dijo Alan cuando enfiló el camino que llevaba a la puerta principal.

—Ya llevamos dos viajes en que no me dejas echar mi preciosa cabezadita. Si me salen arrugas será por tu culpa.

12

Cuando Alan acabó de hacer los últimos prepa-
rativos para su charla ante los trabajadores del señor
Monterro se dio cuenta de que el acrónimo de *puck*,
aunque era muy apropiado para el equipo de hockey, no
era lo más conveniente para una empresa. Pensando en
cómo podía presentar las cuatro características clave para ese tipo de audiencia, se le ocurrió que podía utilizar
la palabra «gestión». Cuando empezó a darle vueltas a la
idea, vio que todo lo que había aprendido de Weatherby
le venía como anillo al dedo. El acrónimo de «gestión»
lo comprendía todo. Un gran equipo, un equipo de éxito debía reunir las siguientes características:

G uiarse por un propósito y unos valores
E nergía
S uscitar una buena comunicación
T urnarse en las responsabilidades
I ncrementar el rendimiento
O btener recompensas y reconocimiento
N ervio y moral

Cuando vio su acrónimo, Alan quedó satisfecho. En la palabra gestión quedaba comprendido que los elementos clave para formar un equipo eran el óptimo desempeño, la energía y la alegría de pertenecer a un equipo bien coordinado. Para conseguir un óptimo rendimiento era preciso: un propósito común apoyado en unos valores compartidos y unos objetivos, desarrollar unas habilidades y conocimientos comunes (energía y turnarse en las responsabilidades); alentar el potencial del equipo (interrelación positiva); y hacer hincapié en lo positivo (sumar recompensas y reconocimientos).

La experiencia de dar una charla sobre el trabajo en equipo le pareció a Alan mucho más fácil y divertida de lo que había esperado. Les explicó el significado del acrónimo GESTION y todo lo que había aprendido de Weatherby, así como su experiencia con los chicos del equipo de hockey. Incluso hizo un par de bromas sobre su pasado de jugador individualista. Acabó la conferencia de la misma forma que la había empezado, diciendo: «Ninguno de nosotros vale más que la suma de todos».

La conferencia de Alan fue muy instructiva. Tal como Weatherby había predicho.

Monterro fue el primero que se levantó para aplaudirle. Alan no había pretendido hacerles creer que sabía más de lo que sabía, pero había comunicando todos sus conocimientos con entusiasmo. Ilustró cada punto de sus teorías con anécdotas, entre ellas, algunas vividas en su carrera profesional. Pero las anécdotas que parecieron gustar más a su audiencia fueron las que había vivido como entrenador de los Riverbend Warriors.

–Alan, es usted genial –le dijo el señor Monterro cuando salieron por la puerta–. Su mensaje es justo lo que necesitábamos. Nos ha dado toda una nueva visión sobre nuestro trabajo. Aquí está su cheque. Mientras habla con toda esta gente que le rodea, voy a ir a mi despacho y voy a extender otro cheque. Le voy a pagar el doble de lo que le dije, y créame si le digo que estoy convencido de que he recibido más de lo que le voy a pagar.

La última vez que alguien había acompañado a Alan hasta el aparcamiento de una empresa no se sentía precisamente feliz. Esta vez sonreía de oreja a oreja. Cuando le enseñó los cheques a Susan ella le dijo:

–Bueno, genio. Creo que esto es el principio de una nueva carrera profesional

La nueva carrera profesional de Alan empezó esa tarde con tres llamadas telefónicas. El señor Monterro había ido a una comida del Rotary Club y se había deshecho en elogios hacia Alan. Además, había dado el número de Alan a varias personas. Y más aún, les dijo lo que le había pagado y que mejor lo contrataran antes de que Alan descubriera lo mucho que valía.

Susan cogió el teléfono la primera vez porque Alan

estaba haciendo unas compras. Tomó nota del recado. Cuando Alan volvió, decidieron que Susan se convirtiera en su secretaria, así que se dedicó a contestar todas las llamadas y tomar nota de las mismas.

La tercera llamada fue de George Burton. El antiguo director de Alan. Evidentemente Burton no había caído en que se trataba de Alan. Susan decidió que necesitaban un nombre para la empresa, y cuando el teléfono sonó, se lo inventó en el momento:

–Foster, Consultoría de Gestión, buenos días. Dígame.

–He oído que el señor Foster es un experto en equipos de trabajo –dijo el señor Burton–. Creo firmemente en el trabajo en equipo, y José Monterro cuenta maravillas del señor Foster. Me gustaría que diera el discurso inaugural de nuestra Semana de la Excelencia.

Susan se quedó tan estupefacta que no supo qué hacer, así que se limitó a tomar nota. Hacía muchos meses de aquello. Alan podía pensárselo y, además, siempre podían declinar la oferta y programar otra charla si a Alan no le apetecía dar ésta para el señor Burton.

–¡Cómo que no quiero hacerlo! Claro que quiero –dijo Alan después de que Susan colgara el teléfono–. Necesitamos sobres y papel de cartas con el membrete de la empresa, cartas de confirmación y que haya un depósito de garantía. Y cuando Burton descubra que soy yo, pues que no pague si no quiere.

–Sí que tienes confianza –dijo Susan.

—La tengo. Conozco esa compañía a fondo y ahora sé algunas cosas sobre el trabajo en equipo. Creo que puedo serles muy útil.

El día siguiente era martes, había entrenamiento. Esa noche Alan recogió a su hijo, David, del colegio, como solía hacer. Le gustaba mucho pasarlo a recoger, y además, de ese modo recogía los trabajos que debía hacer Tim y se los llevaba a casa. Era una tarea que se había impuesto cuando se dio cuenta de que el padre de Tim trabajaba a esas horas y no podía hacerlo.

Los días en que Alan llevaba los trabajos a Tim y su padre estaba en casa solía quedarse un rato con él para charlar. Así se enteró de algunas cosas del pasado de Wes Burrows, el padre de Tim.

—Cuando Sandra murió, necesitaba cambiar, no podía seguir haciendo lo mismo. Era director de personal de una gran fábrica de la ciudad y no soportaba ir a la oficina, así que me despedí y vinimos aquí. La casa en la que habíamos vivido estaba llena de fantasmas. Cuando vine aquí necesitaba un trabajo. Todos los ahorros que había conseguido reunir los gasté en las facturas de los médicos que atendieron a Sandra, que no cubría el seguro. Pero no quería un trabajo en el que tuviera que llevarme los problemas a casa. Necesitaba un trabajo en el que todo acabara al finalizar la jornada y no quedaran cosas pendientes para el día siguiente. Lo de ser camarero es perfecto si no fuera por el horario. Cada vez que sirves una mesa, el trabajo ha terminado. Siempre estás ocupado y alerta, pero el trabajo se acaba constantemente.

Cuando Alan llamó a la puerta de Tim acompañado por su hijo, recordó las palabras que Wes Burrows dijo a continuación:

–Últimamente he estado pensando que quizá ya estoy preparado para dejarlo y buscar un trabajo en el mundo de la empresa. En su tiempo di muchos cursillos de formación. Me gustaba y lo hacía bien. Quizá lo intente de nuevo.

La puerta se abrió.

–Hola, señor Foster. Hola, David. Supongo que han venido para traerme los deberes.

–Eso es, Tim. Me alegra que vuelvas a estar en casa.

–Sí. Las pruebas han salido bien. Sólo me sangraba la nariz. Podré volver al colegio dentro de un día o dos.

–Genial. Me alegra ver que ya no necesitas las muletas. Tu padre está trabajando, ¿verdad? ¿O está aquí?

–¡Papá! –dijo elevando la voz–. El señor Foster está aquí. –Y añadió–: Oye, David, ¿quieres ver la chulada de tren que me ha regalado mi tía?

Los chicos se fueron corriendo y Alan Foster tuvo suficiente tiempo para explicarle sus ideas al padre de Tim sobre la Consultoría de Gestión Burrows Foster.

Cuando llamó a David porque era hora de irse, Alan tenía un socio. Wes Burrows había estado de acuerdo en todo excepto en el nombre. La empresa se llamaría Foster Burrows, no Burrows Foster.

13

EL ENTRENAMIENTO DEL JUEVES FUE muy bien, pero no tanto como el partido del sábado.

Los chicos ganaron a uno de los mejores equipos de la liga. Se había ganado esa reputación porque tenía dos jugadores estrella que metían todos los goles. Pero no tenía juego de equipo, no tenía ningún esquema para defenderse de quienes supieran jugar en equipo. Fue un resultado muy ajustado, pero el tanteo final fue River-bend Warriors: 5; HillsideTigers: 4.

Weatherby tampoco fue esta vez. Tim estaba en las gradas, y para sorpresa de Milt, Gus y Alan, también estaba el señor Boothe, el padre de Jed. Tras el partido fue hacia ellos y les dijo:

—Han hecho maravillas con estos chicos. Les están enseñando a jugar en equipo. Es increíble. No quiero que Jed se pierda esto. Irá al entrenamiento del martes.

Los tres entrenadores intercambiaron una mirada de inquietud. Milt fue quien acabó hablando:

—Hemos introducido algunos cambios en nuestra forma de jugar. Trabajamos jugadas, los pases...

–Y no saben si ahora Jed encajará con eso, ¿no?

–No sé si se puede plantear así –dijo Alan sin saber muy bien qué decir, si es que debía decir algo.

–Mire, el problema de Jed es que es un jugador individualista –dijo el señor Boothe para sorpresa de todos–, como es seis u ocho meses mayor que los demás, es un poco más robusto y tiene mejor coordinación. Pero esto cambiará con el tiempo. Debe aprender a jugar en equipo o no hará gran cosa en la vida. Por eso quiero que vuelva. Para él puede ser tan importante como hacer las tareas del colegio.

–Será un placer verlo el martes –dijo Milt.

–Le diré que últimamente ha habido cambios y le explicaré que tiene que adaptarse al nuevo sistema. Tendrán todo mi apoyo –dijo el señor Boothe.

Cuando Alan llamó a Weatherby para decirle el resultado y que Jed iba a volver al equipo la mujer respondió:

–Si hubiera tardado otra semana en volver hubiera estado mejor, pero si tenemos el apoyo de su padre eso lo compensará.

–¿No le preocupa que los chicos necesiten más tiempo?–preguntó Alan.

–Lo haremos bien. Jed no nos defraudará a condición de que tanto en los entrenamientos como en los partidos sepamos marcarle unos objetivos que casen con los del equipo. Una vez que asuma los objetivos en los que estamos trabajando –nuestros propósitos, habilidades, la coordinación de sinergias– haremos hincapié en las recompensas y los reconocimientos.

Weatherby tenía razón. Con el apoyo del señor Boothe, Jed llegó al entrenamiento feliz de regresar antes de lo esperado y dispuesto a aprender a jugar en equipo. Los chavales se alegraron mucho de volverlo a ver, y los entrenadores se las ingeniaron para darle mensajes positivos. Cualquier cosa que su padre le hubiera contado, había servido. Jed estaba ansioso por coordinar su juego con el del resto el equipo. Ese día ganó la mención especial del entrenador.

–Jed va a encajar muy bien. Hará que el equipo progrese en la técnica de juego y será un reto para los otros. El próximo sábado seremos un gran equipo de verdad –dijo Weatherby en el viaje de vuelta a la residencia–.Un buen jugador que también sabe jugar en equipo hace que progrese todo el equipo.–Fue lo único que dijo. Dicho esto, se durmió.

Dos noches más tarde, en el viaje en coche hacia el pabellón donde iba a entrenar el equipo, Alan le volvió a preguntar si quería que la recogiera para ir a ver el partido del sábado. Weatherby le explicó la razón por la que nunca iba a ver los partidos.

–La noche del sábado hay baile –dijo– Viene una orquesta y bailamos. Después nos dan chocolate en tazas y pastel. Se parece mucho a las fiestas a las que yo iba cuando era adolescente. Incluso las canciones son más o menos las mismas.

Alan estaba a punto de decirle algo pero Weatherby continuó hablando:

–Que los partidos sean la noche del sábado me lo pone muy difícil para ir. En esos bailes Jack esta mucho más animado y se parece más al hombre con el que me casé que el resto de los días de la semana. Es la única vez que me lleva él. No nos quedan muchas noches de sábado. Esas noches son únicas.

Alan alargó el brazo y apretó con cariño la mano de la mujer. Hicieron el resto del viaje en silencio. Weatherby no se durmió.

Tim tampoco se durmió. Estaba sentado frente a la ventana de su cuarto, a oscuras, mirando al cielo estrellado y manteniendo una inocente conversación con su madre. Había sobrevivido al accidente. Se le hacía un mundo no poder jugar al hockey, pero sabía que había sobrevivido porque quería hacerlo. Cuando los doctores dijeron que podría volver a jugar tuvo que aceptar que sería así; sucedería al siguiente año. Pero ahora no estaba tan seguro.

—Todo está cambiando, mamá. Desde el accidente hay una mujer, Weatherby, que ayuda al entrenador Foster. ¿Recuerdas? Ya te lo conté. Bueno, pues lo están cambiando todo y todos están aprendiendo a jugar muy bien. Yo me puedo quedar atrás y entonces no contarán conmigo.

Tras unos minutos en silencio Tim añadió:

—Buenas noches, mamá. —Lanzó un beso al cielo estrellado de la noche y se metió en la cama.

Seguro que mamá le había escuchado.

Cuando Weatherby se acercó a la puerta de la Residencia Park Manor acompañada por Alan, rompió el silencio que había mantenido desde que le había contado lo de los bailes de la noche del sábado.

—Tenemos un cabo suelto, Alan. Ese niño que se lesionó, Tim. He estado pensando en él. Sé que has empezado a trabajar con su padre, pero por lo que dices aún pasarán unos meses antes de que pueda dejar su trabajo en el restaurante. Hasta entonces, ese niño está solo en casa y necesita ayuda. Él es parte del equipo. Tenemos una responsabilidad con él.

—¿Que me sugiere que haga?

—No sé. ¿Estás seguro de que puede volver a jugar? Una vez una chica del equipo de baloncesto se rompió un hueso del pie. Los médicos dijeron que no podría jugar, pero sus padres le compraron una aparato ortopédico y pudo jugar de vez en cuando.

—Podríamos hacer algo parecido con Tim. Creo que tendríamos que intentar algo —dijo Alan.

—¿Quién es el médico que lo lleva?

—No sé quién es, pero conozco a la doctora que le operó. Es una mujer maravillosa. Se llama Nancy Cantor.

—¡Nancy Cantor! Tuve una alumna que se llamaba así. ¿Quién sabe? Puede que sea la misma. Iba a estudiar medicina. Lo miraré mañana.

Era la misma Nancy Cantor y tenía una buena razón para haberle dicho aquello al padre de Tim.

—Su seguro no cubre lo que habría que hacer, y sé que le cuesta llegar a fin de mes. El casco especial y el collarín costarían al menos doscientos cincuenta dólares. Ese padre ya ha pasado bastantes malos tragos en la vida como para decirle que si tuviera dinero su hijo podría volver a jugar.

—¿Seguro que con ese casco y ese collarín el chico no correría ningún riesgo?

—No hay nada seguro en esta vida, pero puedo decirle que con ese equipo tiene tantas probabilidades como cualquier otro chico del equipo de sobrellevar esa lesión. Es una pena que su padre no tenga ese dinero.

Él no lo tenía, pero Weatherby sí. Dos horas después Nancy Cantor hablaba por teléfono con el padre de Tim y le decía que su hijo había sido aceptado en una programa especial de ayudas que le iba a proporcionar un casco especial y un collarín sin cargo alguno. Tim no jugó aquel sábado, pero todo se arregló para que pudiera entrenar la semana siguiente y jugar el próximo sábado. Cuando se fue a casa tras el partido, sabía que de nuevo su madre se había ocupado de él. Salió del pabellón tan rápido que nadie pudo invitarle a dar una vuelta. Tenía que darle las gracias a su madre.

El casco y el collarín llegaron el jueves. Por primera vez desde hacía varias semanas Tim estaba en la pista de hielo, dispuesto a entrenar con el equipo. Y nunca había estado mejor equipado. Para asombro de Tim y de su padre, el programa del que había hablado la doctora Cantor también le había proporcionado unos nuevos patines, un flamante *stick* y un juego completo de hombreras, espinilleras y coderas. La carta en la que Tim daba las gracias a la institución que concedía esas ayudas fue entregada en mano por la doctora Cantor en la organización. Además, con su ordenador personal diseñó un membrete para el folio y el sobre en el que el director ejecutivo de la institución, inventado para la ocasión, le contestaba deseándole una pronta recuperación.

Tim patinó lentamente sobre el hielo, para acostumbrarse a la sensación de volver a ir con patines. Alucinaba con su nuevo equipo. Mamá no siempre le respondía cuando le pedía ayuda pero cuando lo hacía...

Alan estaba en el banquillo, se volvió a Weatherby y le dijo:

–Vaya coincidencia ¿no? Le dije el nombre de Nancy Cantor y al día siguiente llama al padre de Tim para informarle de que hay un programa de ayudas.

Weatherby sonrió.

–Usted es increíble –dijo Alan bajando la voz–. Pero la verdad es que no me sorprende. Cuando Milt me preguntó si usted había tenido niños, le respondí que usted era la persona que conocía que tenía más.

–Me gusta pensarlo así, Alan, me gusta pensarlo así.

El momento quedó interrumpido por el silbato de Gorman. Los entrenadores y los chicos se fueron hacia el centro de a pista para empezar el entrenamiento. Jed y Tim habían vuelto. Los Riverbend Warriors volvían a tener todo su potencial y estaban dispuestos a jugar de primera.

14

AL PRINCIPIO, CUANDO OÍAN EL HIMNO de los Riverbend Warriors, los entrenadores de los otros equipos gastaban bromas sin mala intención a Milt, Gus y Alan. En la pista los chicos de sus equipos se reían de los Warriors. Y hasta tenía su lógica que fuera así. Nadie veía a los eternos colistas que eran los Warriors como unos serios aspirantes a la copa de la liga.

A media temporada ya nadie hacía bromas y chistes. Cuando la temporada estaba en la recta final los otros equipos se lamentaban cuando se enteraban de que su próximo rival serían los Riverbend Warriors, y los entrenadores empezaban a pedir consejo a Milt, a Gus y a Alan. A quien no consultaban era a Weatherby. Nunca asistía a los partidos y cuando los entrenadores de los Warriors y los chicos del equipo les contaban que una anciana afroamericana que vivía en una residencia era su fuente de inspiración, todos acababan convencidos de que aquello era una historia inventada para ocultar la identidad de la persona que estaba tras el éxito de los Warriors. Circulaban muchas historias.

Muchas hablaban de un entrenador de la liga nacional. Otras insistían en que le pagaban. Otras, que ese entrenador era un tío de uno de los Warriors. Nadie se creía la historia de la anciana de la residencia.

Bud Benson, entrenador de los Sandy Point Winterhawks, un equipo que solía compartir con los Warriors la últimas posiciones de la tabla incluso tuvo el atrevimiento de asistir a un entrenamiento de los de Riverbend.

–Hola, Milt. Pasaba por aquí y me acordé de que entrenáis los jueves, así que pensé en dejarme caer para saludaros.

–Me alegro de verte, Bud. Así conocerás a nuestra arma secreta, Weatherby –dijo Milt, consciente de que ésa era la auténtica razón de que Bud se hubiera acercado a sus barrios.

Weatherby, cosa rara en ella, murmuró un saludo y acercándose a Bud le dijo a la cara:

–¿Tienes una hamburguesa? Ellos siempre me dan una hamburguesa. –Y tras volverse se sentó y empezó a juguetear con un botón de su abrigo, mientras hablaba sola, sin hacer el menor caso de Milt y Bud.

Incómodo, Milt le dijo entre tartamudeos a Bud que aquel día Weatherby no parecía la de siempre. Unos minutos después Bud se fue, no sin echar una última mirada a Weatherby, que continuaba sentada, con la cabeza gacha, jugueteando con su botón.

Weatherby observó cómo Bud se iba con el rabillo del ojo y luego se quedó mirando a Milt con una amplia sonrisa.

–¿Por que se ha comportado así?

–Para confundir al enemigo–dijo Weatherby entre risas–. No te habrás creído que Bud pasaba sencillamente por aquí, ¡verdad?. Venga, vamos a la pista a preparar a esos chicos para que jueguen bien el sábado.

Cuando Bud llegó a su casa, llamó a otros entrenadores de la liga infantil. A todos les dijo lo mismo: los Riverbend Warriors se traían entre manos algo tan secreto que incluso habían contratado a una anciana de una residencia para que hiciera de pantalla.

El primer partido al que asistió Weatherby fue el último de la temporada. Pero no se sentó con los otros entrenadores. Jack la acompañó y los dos se sentaron en dos localidades reservadas justo detrás del banquillo de los entrenadores. Habitualmente no se reservaban localidades pero aquel partido era una final y el ganador se iría a su casa con la copa de la liga. El pabellón estaba abarrotado. Los Riverbend Warriors habían hecho todos los merecimientos para ganar la liga. Treinta minutos de hockey, tres tiempos de diez minutos, dirimirían quién era el ganador.

Nadie recordaba que hubieran asistido a un partido periodistas y cámaras de televisión. La ascensión de los Riverbend Warriors desde el fondo de la tabla hasta los lugares de honor era esa típica historia de interés humano que tanto gusta a los locutores y a los escritores.

La novedad de la presencia de los medios impresionaba más a los padres y a los demás espectadores que a los chicos de los Warriors, que salieron a la pista cantando:

Alabá, alabí.
Estamos con Tim.
Balín, balán, balones
Riverbend campeones
Alabí, alabá, alabimbombá,
este partido lo vamos a ganar.
Chócala, chócala, chócala.

—Bien Weatherby, ¿vamos a ganar? —preguntó Alan apoyándose en la barandilla de madera que separaba los asientos de la mujer y su marido del banquillo de los Warriors.

—Ya hemos ganado—dijo Weatherby—. Cada uno de esos chicos ha vivido la magia de pertenecer a un equipo de éxito. Es una lección que nunca olvidarán.

—Tiene razón —dijo Alan—. ¿Se lo pasa bien, Jack?

—Como nunca. Hacía años que no veía un partido de hockey.

Weatherby se quedó mirando a su marido sorprendida. Durante el viaje hasta el pabellón ella le había susurrado a Alan que Jack tenía un buen día. Alan no podía decirlo. Jack había estado en silencio durante todo el viaje y no había dado muestras de que supiera dónde iban.

—Lo único malo de los partidos infantiles si se comparan con los de los profesionales es que acabas bebiendo chocolate en vez de cerveza —añadió Jack riendo mientras levantaba su vaso con gesto divertido.

Alan volvió su atención a la pista fingiendo que no había visto cómo se deslizaba una lágrima por la mejilla de Weatherby mientras estrechaba la mano de su marido.

Mientras los chicos hacían los ejercicios habituales para calentarse Alan se fijo en el equipo contrario. Creía que se podía obtener una buena información del rival observando a sus entrenadores antes de que empezara aquel partido de la final. Cuanto más gritaran, cuantas más órdenes dieran, cuanto más regañaran a los chicos por cometer errores –todos ellos comportamientos muy habituales entre los entrenadores– más probabilidades había de que los Riverbend Warriors ganaran.

Pero ese día los signos no eran positivos. Los entrenadores de los Meadowland Thunderjets dirigían a su equipo con una filosofía muy similar a la de Alan, Milt y Gus. Antes de que empezara el partido, el entrenador en jefe de los Thunderjets, Bob Pasternac, fue al vestuario de los Warriors y le hizo una propuesta a Milt:

–Sé que crees en el juego de equipo y habéis hecho un gran trabajo con esos chicos. Ojalá yo lo haya hecho la mitad de bien. Quiero proponeros una cosa. Antes y después del partido vamos a darles una lección a los dirigentes de la liga haciendo que los chicos se den la mano en el centro de la pista.

Milt tardó unas décimas de segundo en aceptar.

Ambos equipos recibieron las instrucciones oportunas y cuando acabó el calentamiento, Alan se encaminó al mediocampo acompañado por Milt y Gus. Los entrenadores encabezarían el desfile por el centro de la pista. Unos instantes después cada equipo se alineó tras sus entrenadores y para sorpresa de los jueces, que acababan de salir a la pista, los chavales empezaron a desfilar por el centro de la pista, en dos filas paralelas, y empezaron a intercambiar saludos, los mejores deseos y estrecharse las manos.

El árbitro principal fue hacia ellos y dijo a los entrenadores:

—¡Felicidades! Alegra ver que la deportividad ha vuelto a las pistas de hielo.

El árbitro principal no fue el único que los felicitó y para Alan eso fue otro mal presagio.

Desde el momento en que los Meadowland Thunderjets habían puesto los pies en el hielo sus entrenadores les habían animado y elogiado desde el banquillo. Alan pensó que él, Milt y Gus habían abrazado la filosofía de ver qué es lo que los chicos hacían bien y darles ánimos y recompensas por ello, pero tuvo que admitir que los entrenadores del equipo contrario hacían otro tanto. Y esos entrenadores habían trabajado con esos chicos desde el tercer curso y ahora estaban en quinto.

Debido a cómo se organizaba la liga de hockey durante la temporada iba a ser la primera vez que los Riverbend Warriors se enfrentarían a los Meadowland Thunderjets. Desde que sonó el silbato que daba inicio al partido fue evidente que los dos equipos estaban muy igualados. Al acabar el primer tiempo el marcador reflejaba un empate a uno. Al terminar el segundo los

Warriors ganaban por 2 a 1. Al final del tercer tiempo el marcador reflejaba un empate a tres goles.

Se jugaron dos períodos de muerte súbita de cinco minutos pero el marcador no registró cambios. Para entonces ambos equipos estaban exhaustos. Cuando los chavales se sentaron en el banquillo para tomar un respiro, el árbitro principal llamó a los respectivos entrenadores al centro de la pista y les dijo:

—Nunca se había dado una situación como ésta, así que seguramente no saben que las reglas de la liga del estado establecen que gana la copa el equipo que tenga un mejor promedio de victorias durante la temporada.

Los entrenadores conocían las estadísticas de sus equipos. Los Warriors había perdido dos partidos más que los Thunder jets. Los Meadowland Thunderjets iban a ganar la copa. Y los Riverbend Warriors ganarían la medalla de plata de la liga.

Milt tuvo la triste tarea de volver del centro de la pista y dar a los chicos la mala noticia. Bob Pasternac se lo puso más fácil:

—Esperaré aquí hablando con el árbitro mientras vas al banquillo y se lo dices a tu equipo. Es mejor que lo oigan de tus labios que se enteren por los vivas de nuestros seguidores. Y después, si todavía quieren, podríamos volver a desfilar por el centro de la pista para que los equipos se estrechen las manos.

Los Warriors se arremolinaron en torno a Milt para saber qué pasaba.

—Resulta que no vamos a jugar un tercer tiempo. Las reglas del campeonato dicen que gana la liga el equipo que ha tenido más victorias durante la tempo-rada regular–dijo Milt. Hizo una pausa. Pudo ver por las miradas de los chicos que sabían perfectamente qué implicaba eso. Menos mal que no tenía que decir más. El nudo en la garganta que le producía la decepción se lo hubiera impedido Lo sentía por los chicos, no por él. Habían trabajado muy duro, habían estado tan cer-ca, y perder así.....

–¡Pero no nos han ganado! –gritó Tim –. Lo hemos hecho todo para ganar la liga y no nos han ganado en la muerte súbita. No nos han derrotado y tendremos la medalla de plata.

De repente los compañeros de Tim acogieron la idea con tal entusiasmo que uno diría que habían ga-nado la copa. De hecho, como Bob Pasternac contó más tarde, eso fue lo que pensaron los chicos de su equipo porque él aún no había tenido tiempo de expli-carles lo que había ocurrido.

Milt se rió y volviéndose hacia Alan y Gus les dijo:

–Este chaval es capaz de levantarse la mañana del día de Navidad, encontrarse un montón de estiércol bajo el árbol y empezar a buscar el poni que le ha traí-do Santa Claus.

Los Warriors empezaron a golpear sus sticks entre sí y lanzar al aire sus cascos y guantes para celebrar con ale-gría que no les habían derrotado en la final de la copa. Enfrente, un barullo similar se apoderó de los Meadow-land Thunderjets y a los entrenadores de cada equipo les costó varios minutos alinear a sus jugadores para el desfile de las salutaciones.

Tras el partido los Riverbend Warriors fueron a un McDonald´s con Weatherby y Jack, que parecía tan animado como antes del partido.

–No tiene nada de raro–dijo Weatherby a Alan cuando éste se lo mencionó–. Después de que hablaras con él se quedó dormido hasta la mitad del tercer tiempo.

–Pero mírelo ahora –dijo Alan. Dos mesas más lejos, Jack estaba sentado con un grupo de chicos y les contaba historias. –. Está genial.

–Él es genial. Hasta que viniste a rescatarme no me había dado cuenta de lo mucho que echaba de menos lo estimulante que es estar con los chicos. Y tampoco había caído en que Jack llevaba una vida muy triste. Bueno, claro que lo sabía, pero no supe ver que todavía podía relacionarse con la gente.

–¿Vendrá con él al banquete de celebración? Es dentro de dos viernes.

–Iremos –dijo Weatherby–. Pero ¿no es ése el día en que vas a dar la charla en tu antigua compañía?

–He quedado con ellos a las dos. La misma hora y el mismo día en que me despidieron.

–Burton querrá que vuelvas. De lo contrario, está loco; pero no tanto como tú si acabas volviendo. Iré al banquete, no te quepa duda, y quiero que me hagas un informe pormenorizado.

15

EL DÍA EN QUE SE IBA A CELEBRAR el banquete de la liga todos los miembros de los Riverbend Warriors y sus entrenadores, salvo uno, saltaron de la cama presas de la emoción.

La excepción fue Alan Foster. Antes de asistir al banquete tenía que ir a su antigua compañía a dar una charla. Lo que en principio le había parecido una buena idea ahora no se lo parecía tanto.

La consultoría de gestión Foster Burrows ocupaba ahora una pequeña oficina alquilada y cuando Alan llegó, Wes Burrows ya estaba allí preparando café. Sus charlas habían tenido tal demanda que Wes se había incorporado antes de lo que los dos preveían.

La experiencia de Wes en cursos de formación y como director de recursos humanos en una importante compañía fábrica era inestimable. A Alan le preocupaba que no tener ni una formación reglada ni títulos fuera un obstáculo para abrirse camino en ese campo, pero pronto descubrió que no era así. Las personas que asistían a sus charlas sabían valorar de inmediato el po-

tencial de las cuatro características clave que Weatherby le había enseñado que eran fundamentales para crear
equipos de éxito.

Primero, PROPORCIONAR UN PROPÓSITO apoyado en
valores y objetivos, reforzado con un programa o compromiso que dé a los miembros del equipo una razón
para no pensar sólo en sí mismos y sí en el bien del
conjunto.

Segundo, DESARROLLAR habilidades y conocimientos, en principio de forma individual para a la postre re-
forzar al equipo. Alan todavía estaba asombrado de que
un equipo fuera capaz de crear habilidades colectivas
que fueran más allá de las individuales, de forma que si
un jugador muy habilidoso fallaba, el equipo continuaba funcionando de primera. Las habilidades del equipo
eran algo más que las habilidades de sus integrantes.
Alan había visto que esto es lo que había pasado con
Jed, el mejor jugador del equipo, que pilló un resfriado
dos semanas después de reincorporarse al equipo y no
pudo jugar un importante partido. No pudieron contar
con él, pero vencieron a un duro rival. En vez de venir-
se abajo, como habría pasado en las primeras semanas
de la temporada, supieron jugar de forma coordinada,
cubriendo, pasando y controlando el disco.

La tercera característica, pensó Alan cuando el calentamiento acabó, era CREAR el potencial del equipo.
«Ninguno de nosotros vale más que la suma de todos»
había sido el auténtico concepto clave. A Alan le agra-
daba la expresión «coordinación de sinergias». Los
chavales quizá no la entendían pero sabían perfecta-

mente lo que quería decir el entrenador Foster. Se habían dado cuenta de que trabajando conjuntamente podían vencer al mejor de los contrarios si éste no tenía juego de equipo. Al comprender esto se convencieron de que el Santo Grial de la copa de la liga estaba realmente a su alcance. Los otros equipos tenían jugadores más hábiles pero apenas si tenían juego de equipo.

La cuarta característica clave, HACER HINCAPIÉ en lo positivo, la característica de las tres erres, como decía Weatherby, repetir recompensas y reconocimientos, era el remate, tal como ella había dicho, de los otros tres conceptos. Los entrenadores habían buscado con toda la intención ejemplos de comportamientos que estuvieran en línea con los esfuerzos que había que hacer. La vieja sabiduría popular que dice que la gente repite aquello por lo que recibe elogios había funcionado con aquellos chicos. Los elogios fueron recibidos con grandes sonrisas y una entrega constante para hacer las cosas mejor.

Aunque Alan estaba convencido del potencial de todo lo que había aprendido de Weatherby, le hizo esta confesión a su socio:

–No me da apuro decírtelo, Wes. Me da miedo esta charla. A George Burton puede darle un ataque cuando vea que soy yo.

Como solía hacer, Wes puso el asunto en la perspectiva adecuada.

–¿Qué es lo que peor que puede pasar? ¿Que te despida otra vez? Ve a dar esa charla, hombre. Y con la cabeza bien alta. Piensa a lo grande. Actúa a lo grande. Sé grande. Vas a arrasar, como siempre.

151

Para darle apoyo moral Wes acompañó a Alan esa tarde.

—¿Qué vas mascullando? —le preguntó Wes cuando llegaron a la entrada principal de la compañía.

—La cabeza bien alta. Piensa a lo grande. Actúa a lo grande. Sé grande —dijo Alan—. Estaba recordando lo que me has aconsejado.

Por suerte para Alan, George Burton no estaba en la puerta para recibirle. Alliston Preston, que fue quien lo recibió, había entrado en la compañía después de que Alan se fuera y le presentó las disculpas del señor Burton. Llegaría unos minutos tarde.

Alan siguió a Allison hasta el auditorio sin mayor problema, pero la mayoría de los reunidos le reconoció cuando subió al escenario y esperó allí de pie mientras Allison trasmitía a los asistentes las disculpas del señor Burton por llegar tarde. A continuación Allison leyó una brillante introducción que, como informó a la concurrencia, había escrito el mismo señor Burton, el presidente de la compañía. Allison había ensayado el discurso y aunque lo hizo bien, cuando acabó el público permaneció en un silencio atónito. Tenía que ser una inocentada. Era diciembre, pero el día no coincidía. El silencio se prolongó cuando Alan se adelantó hasta el centro del escenario.

—Buenos días, amigos y antiguos compañeros. Es bonito volver aquí. Como podéis deducir por la introducción, he iniciado una nueva carrera profesional desde la última que nos vimos. —Alan había empezado, pero entonces se detuvo porque George Burton entró discretamente por la puerta del fondo de la sala. Muchos de los reunidos se dieron la vuelta para ver la razón de que Alan se hubiera interrumpido de repente. Y lo que vieron fue a su presidente, boquiabierto, incapaz de articular palabra.

–Antes de iniciar esta charla quería deciros algunas palabras sobre el señor Burton.–La voz de Alan se oyó de nuevo sobre las cabezas de los asistentes que de inmediato se volvieron para mirarle. Los setecientos empleados estaban pensando en lo mismo:«Esto va a ser como para filmarlo». A lo que seguía un:«No me lo perdería por nada en el mundo».

–En los últimos meses he tenido la oportunidad de visitar muchas compañías y organizaciones y he conocido a muchos presidentes a quienes he tenido la suerte de asesorar –continuó Alan mientras los reunidos se sentaban el borde de las sillas con las espaldas bien erguidas, atentos a la bomba que estaba a punto de lanzar.

»Puedo deciros que esta compañía es muy afortunada por tener al señor Burton como presidente. Tiene energía, empuje y visión de futuro. Ha tenido el coraje de limpiar las ramas muertas que entorpecen el desarrollo del árbol que es esta compañía, unas ramas muertas que debían haberse podado mucho antes de que él asumiera el control de la empresa. Cuando a un árbol se le quitan las ramas muertas éste crece mejor, está más sano. Quitar las ramas muertas reporta beneficios. Un día mi abuela me contó algo: que hay unos árboles, los apalosas, que cuando se les quitan o se caen las ramas muertas, sus raíces se hacen más fuertes, el árbol se rejuvenece y pronto le crecen nuevas ramas.–Alan hizo una pausa miró a los reunidos y añadió–: Yo debo de ser como ese árbol.

Desde el fondo del auditorio se oyó un aplauso entusiasta Los asistentes al acto se volvieron. Era Georges Burton. Y todos se le sumaron en lo que acabó siendo una atronadora ovación.

–Debería haberlo oído –le dijo Wes a Weatherby en el banquete de esa noche–. Alan dio una conferencia magistral. Su antiguo presidente, George Burton, fue el primero que se puso en pie e inició la ovación con la que recibieron el final de la charla. Quiere que Alan vuelva a trabajar para él.

Weatherby se volvió a Alan.

–No vas a aceptar, ¿verdad?

–Sí, voy a aceptar.

–Estás loco. Pero si yo ya te había avisado –dijo Weatherby.

–Lo siento, pero era una oferta demasiado buena para rechazarla.

Weatherby fulminó a Alan con la mirada.

–Escúchame, Alan Foster. Espero que no hayas firmado nada.

–Bueno, no he firmado nada, pero firmaré. Es un buen contrato de asesoría. Wes y yo iremos a sus oficinas un día cada dos semanas durante el próximo año –dijo Alan. Sonrió y agregó–: Sorprendida, ¿verdad?

Weatherby le devolvió la sonrisa a Alan. Si Jack la hubiera visto le podría hacer dicho a Alan que eso significaba que de vez en cuando a Weatherby se le podía sorprender.

El punto culminante de la velada fue la entrega de los premios. Los Riverbend Warriors fueron llamados a la tarima que presidía la sala y recibieron una medalla de plata con su nombre grabado que acabó colgando del cuello de cada jugador. También los entrenadores recibieron sus medallas y el aplauso más caluroso lo recibió Weatherby cuando recogió la suya.

La única persona que no aplaudió, por la sencilla razón de que estaba atónito, fue Bud Benson, el entrenador de los Sandy Point Winterhawks, que la última vez que había visto a Weatherby estaba descosiendo tranquilamente un botón.

De vuelta a su asiento Weatherby pasó por donde estaba sentado Bud. cuando llegó a su altura, se detuvo, se inclinó y le dijo:

—Esto es mejor que la hamburguesa que me daban al acabar los entrenamientos.

Más tarde, Alan, como siempre, llevó coche a Weatherby y a Jack a la residencia y en el trayecto comentó que el nombre de su compañía quedaría mejor si se llamaba Weatherby Foster Burrows.

—Podría venir un día o dos a la semana, un par de horas —dijo Alan—. Yo la iría a buscar.

—No. No puedo aceptarlo. Creo que es mejor Foster Burrows Weatherby.

Wes Burrows iba a llevar a su hijo Tim a casa en coche. Cuando subieron al coche Tim le dijo a su padre que tenía un deseo especial.

–Me gustaría que, antes de ir a casa, fuéramos hasta el límite de la ciudad, si te parece bien. Ya sabes, donde se acaba la Carretera de las Cuatro Millas.

–Claro, pero ¿por qué quieres ir allí?

–Me recuerda dónde vivíamos antes.

–¿Y a mamá?

–Y a mamá también –dijo tras unos instantes.

–Se ha hecho de noche. ¿No preferirías ir mañana?

–No. Esta noche, por favor. No me importa que esté oscuro.

Unos minutos más tarde llegaron al sitio donde la Carretera de las Cuatro Millas se convertía en la carretera estatal 508, fuera de los límites de la ciudad.

–¿Podemos quedarnos unos minutos, papá? Me gustaría estar un rato solo ahí fuera.

El padre de Tim no sabía qué se traía Tim entre manos, pero éste le dijo que era importante. Sabía que no le iba a pasar nada, así que aparcó el coche en el arcén.

Tim salió al frío aire de aquella noche de primavera y fue caminando lentamente hacia el trigal que corría paralelo a la carretera y que habían arado hacía poco. Las nubes cubrían la luna llena y estaba oscuro como boca de lobo. Justo cuando Wes dejó de verle y decidió salir del coche las nubes se apartaron y una brillante luna iluminó directamente a Tim. Su padre volvió a meterse en el coche. Si hubiera estado más cerca hubiese visto que Tim estaba mirando hacia el cielo.

–Gracias, mamá –susurró Tim a los rayos de la luna–. Me gusta jugar al hockey. ¿Y sabes una cosa, mamá? El próximo año vamos a tener un equipo de primera. Vamos a ganar la copa de la liga.

Tim cogió la medalla de plata que llevaba colgada del cuello y la alzo como para mostrársela a la luna.

–Mira, mamá. ¿A que es bonita? Es para ti. Dice: Timothy Albert Burrows. Miembro del equipo de los Riverbend Warriors.

EPÍLOGO

Todos lo que hemos participado en la redacción de este libro sabemos que *¡Choca esos cinco!* es un libro mucho mejor, con diferencia, del que hubiera podido escribir cada uno de nosotros por su cuenta. Sin embargo, si hubiera dependido de tal o cual persona, ciertas cosas se hubieran hecho de otro modo.

Tener en cuenta estas cosas proporciona una importante lección. Allí donde surge la magia del equipo, también puede haber frustraciones personales o incluso dolor. Ser parte de un equipo productivo que sabe chocar sus cinco no significa que se adopten sus mejores ideas —a la vez que usted escoge las mejores de los otros miembros de equipo— para hacer valer su única y personal visión de lo que ha de ser un buen producto, un buen plan o un buen programa de acción. Lo cierto es que a la vez que usted escoge las ideas de los demás, ellos están escogiendo las suyas.

Si va a formar parte de un equipo de éxito, tiene que estar dispuesto a aceptar rechazos. Luche por sus ideas, claro está. Intente convencer a los otros, pero si no pueden o quieren aceptar sus ideas respire hondo y siga adelante. En otra ocasión, en otro proyecto, en otro equipo sus brillantes ideas pueden ser muy valoradas. Pero esta vez aparque su ego a un lado y siga adelante. Saber no tener en cuenta estos rechazos y seguir avanzando, poner el equipo por delante de todo, es una experiencia enriquecedora que conduce a la más maravillosa de las vivencias: ser miembro de un equipo de gran eficacia donde todos van a una.

Escribir este libro ha sido una verdadera labor de equipo. Cada uno de nosotros tuvo unas responsabilidades específicas a la par que la responsabilidad total de cada página, cada párrafo y cada frase. Si usted aprende la mitad sobre los equipos de trabajo de lo que aprendimos nosotros mientras lo estábamos planificando, si mientras lo leía se ha divertido la mitad que nosotros cuando lo escribíamos, si el siguiente proyecto de equipo en el que participa se lo pasa tan bien como nos los hemos pasado nosotros con este libro, podremos considerar que este proyecto de *¡Choca esos cinco!* ha sido todo un éxito

Ninguno de nosotros vale más que la suma de todos

Ken BLANCHARD, Sheldon BOWLES,
Don CAREW, Eunice PARISI-CAREW

EL PROYECTO GLOBAL

CHOCA ESOS CINCO DESCANSA EN las espaldas de dos libros anteriores, *El ejecutivo al minuto* y *Gung Ho!*, que explican a los lectores la forma en que toda empresa debe centrarse en su personal. Animamos a todos los que deseen saber más sobre este tema a que se lean ambos libros.

El ejecutivo al minuto trata básicamente del proceso. Y también se ocupa de las fases de desarrollo de un equipo y de los comportamientos de los directores que permiten alcanzar la excelencia. Asimismo, el acrónimo de GESTIÓN que hemos visto en este libro se explica con mayor detalle.

Por su parte, *Gung Ho!* se ocupa principalmente de cómo alimentar y dirigir las energías de cada individuo y del propio equipo. Los conceptos clave de *Gung Ho!* son: *El trabajo válido, El control para la consecución del objetivo* y *Animar al equipo.*

Muchos lectores de ambos libros nos han preguntado si ambos libros se complementan entre sí, y si así es, ¿cómo? Pues hemos de decir que los dos libros se complementan, al igual que lo hace *¡Choca esos cinco!* Puede ser útil considerar *¡Choca esos cinco!* como una especie de puente entre los dos. El esquema que sigue, pensado para formadores, jefes y miembros de equipo motivados, muestra cómo los tres libros se coordinan entre sí para hacer un todo. En la página siguiente encontrará el globo que conduce hacia el éxito, una gráfica representación del acrónimo de *puck* que muestra cómo las recompensas y los reconocimientos enfocados de forma que haya unos comportamientos coordinados es la magia que hace que el equipo se eleve hasta el éxito.

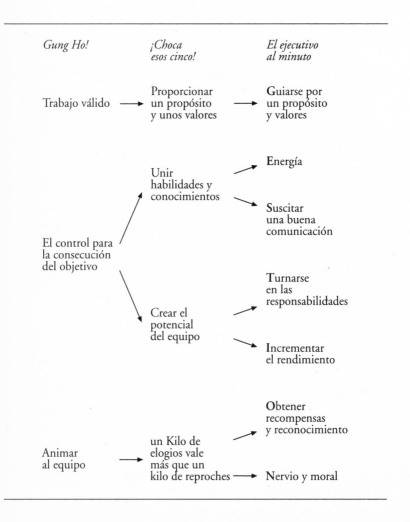

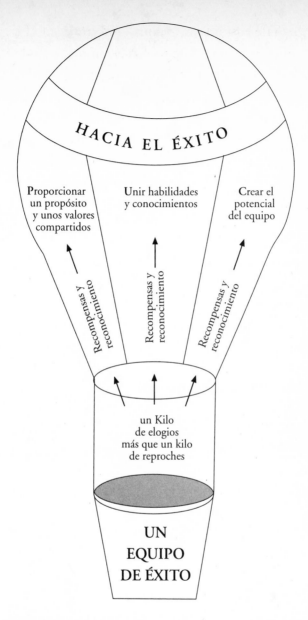

Las recompensas y el reconocimiento es algo más que lo que insufla aire caliente al globo. Saber que el equipo vale más que el individuo y que por ello hay que hacer hincapié en lo positivo es la fuerza que hace que el globo suba. Sin estos elementos el globo no se levantaría del suelo.

P Proporcionar un próposito y nos valores
Un objetivo ilusionante

• Idear un reto, una razón para que el equipo funcione, un «Santo Grial» por el que la gente se comprometa y se motive a trabajar conjuntamente.

• Marcar unos objetivos y unas estrategias claras e ilusionantes.

• Definir con claridad los valores.

• Trazar un programa de acción en el que se formalicen los compromisos y los objetivos a los que se compromete el equipo, por qué es importante y cómo va a trabajar el equipo en conjunto para conseguir los resultados.

U Unir habilidades y conocimientos
Desarrollar las capacidades del grupo de trabajo.

• Empezar con lo básico. Impartir conocimientos a los individuos que reviertan en la habilidad del equipo.

• Alentar los conocimientos, la confianza y medir los resultados.

• Turnarse en las responsabilidades.

• Forjar una conciencia de la capacidad y colectiva a partir de las habilidades individuales y del equipo para lograr unos resultados extraordinarios.

C Crear el potencial del equipo
Coordinar sinergias

• Fijar un plan de acción para el equipo y ceñirse a él.

• Compartir el liderazgo.

• Recompensar la labor de equipo.

• Hacer una rotación de las responsabilidades para lograr la versatilidad, introducir cambios y forjar una capacidad psíquica e intelectual.

- Convertir las habilidades individuales en habilidades colectivas.

Un **Kilo** de elogios vale más que un kilo de reproches

Insistir en las recompensas y el reconocimiento

- Alentar comportamientos que estén en línea con el propósito y los valores, el desarrollo de habilidades y conocimientos y el trabajo en equipo. Y recompensar esas actuaciones una y otra vez.

- Insistir en que la gente haga las cosas bien o lo mejor posible.

- Reconducir las actuaciones para lograr el objetivo. Evitar reprimendas y castigos

- Enfocar el reconocimiento y las recompensas atendiendo al objetivo.

VIVAS Y HURRAS

LOS LIBROS NO APARECEN PORQUE SÍ. Al menos este. Desde la idea hasta el volumen final, incontables colegas, consejeros, amigos y compañeros de viajes en vuelos nos ha dado sus opiniones, nos han hecho críticas, nos han dado ánimo e ideas originales. Entre las muchas personas que nos han ayudado queremos darles las gracias particularmente a:

Lisa Queen, un miembro clave del equipo de trabajo que se formó en la editorial Morrow para crear este libro, una mujer cuya integridad, inteligencia, calor humano y conocimiento de lo que es un libro fue de gran ayuda para que la asociación con Morrow fuera dichosa y escribir el libro un placer.

Alan Snart, de Western Management Consultants, un genio del trabajo en equipo, cuyo ojo clínico y agudas observaciones siempre son bien recibidas.

Ken Hartwig, Jim DeSpain, Charlie Hughes, Ann Oliver, Rich Seeman, John Kerby, Steve Berry, Don Drake, Bob Gordon, Jerry Wright, Cleon Streitmatter y Ed Mallon, de Caterpillar Track Type Tractors.

Charles y Edith Seashore, del NTL Institute, quienes

fueron los mentores y guías de la dinámica de equipos y su enseñanza aplicada.

Rocco Ricci y Mike Green, del Concord Hospital.

Hugh Goldie, Peter Wintemute y todos los demás miembros del equipo de primera de Exchange Group, cuyo apoyo y consejo son de tanto valor.

Scott Gassman y Linda S. Gianni, de Empire Blue Crosss Blue Shield.

Dwayne Reiser y Meyers Norris Penny, elementos del equipo que hacen que Sheldon esté al pie del cañón de forma eficaz.

Byron Diggs, Jimmy King y Tony Malafronte, de Guilford Fibers.

Brian Black, cuyo entusiasmo y ayuda valoramos en mucho.

Rich Woodrome, Chris Burt, Barry Pickering y Willie Everett, de Hills Pet Nutrition.

Bailey y Rita Jackson, de la Universidad de Massachusetts, que enseñaron a Eunice la importancia de que un equipo combine la diversidad.

Betty Blee, Ros Tartell, John Kamovitch, Rich Braaten, Ray Johnson, Julie Ellis, David Gensure, John Helman y David Knapp, de Pfizer Pharmaceuticals.

Robert Cole, de Certainteed, un entusiasta de The Ken Blanchard Companies, que nos permitió usar Certainteed como campo de pruebas para diversos productos.

Howard Bickley y Alan Greene, de Union Camp.

Kingsley A. Bowles, hermano de Sheldon, que a buen seguro sabrá ver que su contribución ha hecho que este libro sea mejor en determinados momentos.

Jim Middleton, Dawn Quist-Harrington, Barnie Bunnell, Gloria French, Marcelina Gilliam y Larry Raines, de Allied Signal.

Spencer Johnson, por su generoso apoyo, presentación y lucidez.

Nancy Maher, Bill Finneran, Kevin Ford, Frank deSisto, Lisa O'Neill, Jim Brennerman, Joe DiRoberto, Steve Dunlap, Pete Mancuso, Paul Brunelle, Pete Lindenmeyer, Jeff Bruell, Kate McNally, Vince Hernandez, de T. J. Maxx.

John Dahl, Jeanne Aandal y Bill Friday, cuyo equipo de Canada Safeway, en Kenora, Ontario, ejemplifica lo que sucede cuando en un equipo de primera se trabaja todos a una para dar un servicio inmejorable y ser el motor de la compañía.

Don transmite especialmente su agradecimiento a los miembros de la familia Shagbark, quienes, durante años, tanto le han enseñado sobre equipos.

También tenemos una deuda con el equipo YPO Forum de Sheldon: Richard Andison, David Baldner, Sheldon Berney, Trevor Cochrane, Carl Eisbrenner, Derek Johannson, Ray Kives, Richard Kroft, Mel Lazareck, Sam Linhart, Bob May, Michael Nozick, Maureen Prendiville, Hartley Richardson, Ross Robinson, Paul Schimnowski, Harvey Secter, Gary Steiman y Jim Tennant.

El manuscrito de ¡*Choca esos cinco!* fue leído por varias personas muy especiales que fueron muy generosas con su tiempo y sus consejos: senador Douglas D. Everett, Ed Chornous, Ray Moon, Paul Petrick y Matt Kauffman, de Precicion Metalcraft, Richard y Susan Silvano, de Career Management International, Glen Sytnyk, de Remax Real Estate, Sandra Ford, de The Sandra Fox Agency, Jake Beard y Willie Sather, de Morgan Stanley Dean Witter, John Peterson, de Paine Webber (Jake, Willie y John, los «tres sabios de Wayzata», que amablemente dieron su aprobación al personaje de Jake Sather de Peterson Securities).

También queremos dar las gracias a Maxim Worchester por su comprensión y apoyo.

Los dos equipos de apoyo en las oficinas de Ken y Sheldon, Dottie Hamilt, Shannon Bajoyo, Eleanor Terndrup, Kelly DeLuca, Kingsley N. Bowles y Rita Loewen (por todos conocida como *El portento de Rita*).

El auténtico equipo de primera que guía nuestro trabajo: Michael Morrison, Larry Hughes y Michal Yanson, de William Morrow; Dave Derminio, Dick Lyles y Harry Paul, de The Ken Blanchard Companies y Margret McBride, nuestra agente literaria.

También hacemos extensivo nuestro más cálido agradecimiento a Richard L. Aquan, por el magnífico diseño de nuestras sobrecubiertas estadounidenses, Rose-Ann Ferrick por su soberbia corrección de estilo y Nancy Singer Olaguera por el maravilloso diseño general del libro. Sin embargo, y en definitiva, los verdaderos héroes de la editorial Morrow son los comerciales. Este equipo de primera de personas entregadas está al pie del cañón, como el servicio postal, sin importar que llueva, granice, nieve, yendo de librería en librería, ofreciendo el catálogo de Morrow y aconsejando a los libreros en los pedidos. Estos hombres y mujeres, junto con los libreros, son los que dan a conocer los libros, y por ello también hacemos extensivo a ellos nuestro más sincero y cálido agradecimiento.

El año pasado la Hearst Corporation decidió, como diría Spencer Johnson, cambiar de sitio nuestro queso y vendió la editorial William Morrow a la buena gente de HarperCollins. La relación entre el autor y su editor es algo más que una relación meramente comercial. Jane Friedman, presidenta y subdirectora ejecutiva, y Cathy Hemming, presidenta y editora, fueron muy comprensivas con nuestras necesidades y preocupaciones y nos brindaron una cálida acogida en la familia de HarperCollins. Valoramos mucho que lo hicieran así y es un honor formar parte del equipo de primera de HarperCollins, formado por personas muy capaces y entregadas.

En el otoño de 1998 Margie Blanchard y Penny Bowles asistieron a la reunión que Ken y Sheldon mantuvieron con Don Carew y Eunice Parisi-Carew en la que surgió la idea de escribir este libro. Desde ese momento tanto Margie como Penny se implicaron de forma personal en el proyecto, de forma que lo leyeron, nos aconsejaron y le dieron forma de libro. Les agradecemos su cariño, su fe, su apoyo y comprensión. Estar casada con un escritor, que se puede ensimismar con un libro o la redacción de un discurso cuando más se le necesita a uno en casa no es una vida fácil. Estamos muy agradecidos por los esfuerzos que invirtieron en aportar luz a nuestro proyecto para que acabáramos haciendo bien la tarea propuesta. Estamos muy reconocidos por el alto precio que a menudo tuvieron que pagar para que consiguiéramos la libertad que con tanto cariño nos concedieron. Por ello tienen todo nuestro afecto y nuestra eterna gratitud. También hacemos extensivo nuestro agradecimiento a nuestros hijos y sus parejas: Debbe y Humberto Medina, Scott y Chris Blanchard (cuyos hijos, Kurtis y Kyle, hacen maravillosamente dichosos los corazones de Margie y Ken), Kingsley Bowles y Susan Goldie; Patti y Kristjan Backman y Aaron Hull, que ése sí que es más listo que el hambre.

NOTA SOBRE LOS AUTORES

Ken Blanchard es uno de los más influyentes autores en temas de dirección. *El ejecutivo al minuto* (1982), escrito en colaboración con Spencer Johnson, lleva vendidos más de nueve millones de ejemplares y se ha traducido a más de veinticino idiomas.

El ejecutivo al minuto, junto con la trilogía *Raving Fans, Gung Ho!* y *Big Bucks!*, escritas en colaboración con Sheldon Bowles, y *Leadership by the Book* (1999), escrito en colaboración con Bill Hybels y Phil Hodges, siguen apareciendo en las listas de libros más vendidos.

Ken es el presidente e inspirador (*Chief Spiritual Officer*) de The Ken Blanchard Companies, una empresa de asesoría directiva y de enseñanza que fundó en 1979 con su esposa, Margie. Los Blanchard están orgullosos de que sus hijos Debbie y Scott participen activamente en el negocio.

Los Blanchard son felices abuelos de Kurtis y Kyle, los dos maravillosos hijos de Scott y Chris, que viven cerca de la ciudad natal de los Blanchard, San Diego.

Sheldon Bowles es un empresario de éxito, colaborador de *New York Times* y *Business Week* y renombrado orador.

Inició su carrera como reportero y se convirtió en vicepresidente de Royal Canadian Securities y en presidente y director general de Domo Gas. Con Douglas Everett como asociado, Sheldon convirtió la empresa en una de las cadenas minoristas de gasolina más importantes de Canadá.

Después de dejar Domo, junto con otros tres asociados, Sheldon convirtió una pequeña planta de producción en un negocio multimillonario. Actualmente, además de la producción, Sheldon tiene intereses en el negocio del reciclaje y la recogida de materiales de desecho y está dedicado en cuerpo y alma a la creación del mejor servicio de lavado automático de coches de América del Norte. Cuando no está enfrascado en montar diferentes negocios, Sheldon comparte sus amplios conocimientos sobre lo que funciona y lo que no ante audiencias de todo el mundo o a través de sus libros *Raving Fans*, *Gung Ho!*, *Big Bucks* y ahora *¡Choca esos cinco!*, todos escritos en colaboración con Ken Blanchard.

Sheldon vive y se dedica a sus negocios junto con su esposa, Penny y sus hijos, Kingsley y Patti, en Winnipeg, igual que el tigre más listo de la jungla... Aaron Hull.

Donald K. Carew, miembro fundador de The Ken Blanchard Companies, es un afamado y respetado autor, educador y asesor de desarrollo organizativo que ha colaborado con diferentes organizaciones durante los últimos treinta y cinco años.

Don ha sido docente del Trenton State College y de las universidades de Princeton, San Diego y Massachusetts, en Amherst. En esta última ha dirigido e impartido el programa de desarrollo organizativo de 1969 a 1994 y actualmente ejerce como profesor emérito.

Además de asesor interno de The Ken Blanchard Companies, es coautor de los productos, libros y manuales sobre el trabajo en equipo de Blanchard, así como de los bestsellers *El ejecutivo al minuto* y *El ejecutivo al minuto. Creación de equipos de alto rendimiento*, en el que también participó Eunice Parisi-Carew. Donald es miembro del NTL Institute y se licenció en Psicología en Massachusetts.

Eunice Parisi-Carew es la investigadora jefe de la Office of the Future en The Ken Blanchard Companies. Tiene una amplia experiencia en dirección y asesoría y ha enseñado a numerosas empresas de ámbito nacional e internacional sobre la importancia de aprovechar al máximo los equipos para potenciar sus negocios.

Además, Eunice ha impartido cursos sobre la dinámica y el liderazgo de equipos en las universidades de Massachusetts, Hartford, American University y San Diego. Es miembro del NTL Institute y una experta psicóloga organizativa.

En The Ken Blanchard Companies, Eunice y sus compañeros estudian las tendencias que probablemente tendrán más impacto en el mundo de los negocios de aquí a tres a diez años.

SERVICIOS DISPONIBLES

KEN BLANCHARD Y SHELDON BOWLES intervienen en convenciones y organizaciones de todo el mundo, mientras que Don Carew y Eunice Parisi-Carew entrenan y hacen consultorías. Las intervenciones de Blanchard y Bowles están disponibles en casetes y cintas de vídeo. Programas de entrenamiento y de creación de equipos como los que se explican en *¡Choca esos cinco!*, así como el modelo PERFORM [traducido en esta obra por GESTIÓN], están disponibles en The Ken Blanchard Companies. Estas compañías también dirigen seminarios y consultas en profundidad en las áreas de trabajo en equipo, servicios al cliente, liderazgo, gestión de rendimiento y calidad.

Para más información sobre las actividades y programas de Ken Blanchard, Don Carew y Eunice Parisi-Carew se puede establecer contacto con:

The Ken Blanchard Companies
125 State Place
Escondido CA 92025
(800) 728-6000 o (760) 489-5005
Fax: (760) 489-8407

Para más información sobre las actividades y programas de Sheldon Bowles se puede establecer contacto en:

Ode to Joy Limited
5-165 Kennedy Street
Winnipeg R3C 156
Manitoba, Canadá
(204) 943-6642
Fax: (204) 947-1536

O en las direcciones web:
www.thekenblancharcompanies.com
www.sheldonbowles.com